MICHEL TREMBLAY

Le cœur en bandoulière

roman hybride

LEMÉAC / ACTES SUD

Leméac Éditeur remercie le gouvernement du Canada, le Conseil des arts du Canada, la Société de développement des entreprises culturelles du Québec (SODEC) et le Programme de crédit d'impôt pour l'édition de livres du Québec (Gestion SODEC) du soutien accordé à son programme de publication.

Canadä

© LEMÉAC, 2019
ISBN 978-2-7609-1325-7

© ACTES SUD, 2019
pour la France, la Belgique et la Suisse
ISBN 978-2-330-13188-3

Imprimé au Canada

Pour Jimmy.

Comment commencer mon accusation,
comment la terminer,
que mettre en son milieu?

EURIPIDE, *Électre*

Un roman est un jeu d'illusions,
tout est aussi vrai que faux,
et l'histoire ne commence à exister
qu'au moment où vous la lisez.

FRANCK THILLIEZ, *Le manuscrit inachevé*

PREMIER COUCHER DE SOLEIL

Je n'ai marché qu'une dizaine de minutes et pourtant je suis épuisé. Épuisé est un bien grand mot, disons que je n'ai plus la résistance que j'avais et que les longues promenades à travers Key West – une heure pour me rendre à un restaurant, une heure pour en revenir – ne sont plus désormais que des souvenirs pour moi. Pas à cause de l'âge. C'est juste qu'après tant d'années passées à arpenter les trottoirs de Montréal, de Paris, de New York, de Key West, mes villes favorites, pour le seul plaisir d'errer en écornifflant pour voir ce qui s'y passait ou pas, l'excitation s'est émoussée, l'envie envolée, on dirait, et je m'en veux, que ma curiosité naturelle m'a quitté pour être remplacée par une sédentarité que j'aurais autrefois mal jugée et qui s'est peu à peu imposée à moi : mon fauteuil, mes livres, ma télévision. Je disais que ce n'était pas l'âge, je suppose que je dois me rétracter et me rendre à l'évidence : je ne suis plus jeune – peu s'en faut – et un rien, une simple promenade pour me rendre au coucher du soleil, ce que je fais pourtant tous les soirs d'hiver depuis plus de vingt-cinq ans, me fatigue. En plus de m'ennuyer.

La bonne vieille paresse ? C'est fort possible. Il arrive que la seule idée de quitter mon roman ou de sortir de ma piscine me décourage, alors j'écoute plutôt mon envie de rester sur place et de continuer à me concentrer sur les propos de l'auteur que je lis ou de goûter les agréables bâillements que me procure l'eau tiède et chlorée.

Je m'arrête à l'entrée de la jetée, au bout de la rue Reynolds, qui avance dans la mer sur une longueur d'une centaine de mètres. Autrefois en bois, on l'a reconstruite récemment en métal, plus résistant aux ouragans. L'année dernière, on en a retrouvé une partie dans le stationnement du gros hôtel voisin et après un an sans pouvoir aller regarder le soleil se jeter à l'eau, on la retrouve, toute pimpante, moins chaleureuse, moins *vintage*, mais plus solide. *George*, *Wilma*, *Emma*, ou tout autre *Emeril* auront beau souffler, désormais elle leur tiendra tête.

Je jette un coup d'œil à ma droite. Dans dix minutes le soleil touchera la mer et des comiques autour de moi feront des bruits de *tshhhh* en rigolant et en riant trop fort, pour ensuite, le soleil disparu, ajouter des *once more, once more,* qu'ils vont trouver bien drôles. Les Américains ont un problème avec le silence et regarder le soleil se noyer à l'horizon sans rien dire ne leur viendrait pas à l'esprit. C'est encore pire à l'autre bout de l'île, où le coucher du soleil est agrémenté d'un orchestre western, ou à Mallory Square, où une foire soi-disant médiévale vous accapare au point presque de vous empêcher d'y assister. Le touriste est roi : les éleveurs de chats, les hommes forts, les diseuses de bonne aventure, les friandises dont l'odeur soulève le cœur et les pickpockets sont plus importants pour lui que le plus beau spectacle gratuit du monde. C'est une des raisons pour lesquelles j'apprécie tant les périodes creuses, les basses saisons, quand les touristes sont peu nombreux et que le soleil peut se coucher en paix sans risquer de se faire chahuter.

Je fais quelques pas. Les lattes du plancher ne se touchent pas, on peut voir les petites vagues – la mer est calme aujourd'hui – clapoter sous nos pieds. Je m'installe sur un des bancs de métal tout neufs, on le dirait posé là pour mon seul confort. Pendant des années je me suis assis au bord de la jetée, les pieds pendants au-dessus de l'eau. J'apportais un livre que je fermais juste au moment où le soleil touchait l'eau, puis, la représentation terminée – voilà l'homme de théâtre qui s'exprime –, je l'ouvrais de nouveau pour profiter des quelques minutes de lumière qui restaient. Maintenant j'ai trop de difficulté à me relever, à cause de mes genoux, et jusqu'à l'arrivée d'*Emma* et de ses vents dévastateurs, l'année dernière, j'étais contraint depuis un bon moment de rester debout, bras croisés, frustré, pour assister à ma dose quotidienne de couleurs. Voilà pourquoi j'apprécie tant l'apparition de ces trois bancs de métal poli sur lesquels je peux m'asseoir en étirant les jambes.

Des nuages flottent à l'horizon, plutôt bas. Ils prendront tout à l'heure la lumière de l'après-coucher du soleil, leur ventre se teintera d'orangé, de rose, de bleu. Ce sont les ciels que je préfère, les moutonneux qui captent si bien la couleur et disparaissent comme un feu d'artifice en *slow motion.*

Voilà. Ça y est. Le soleil touche l'eau, précédé de son pont d'or. Tout à l'heure, juste avant qu'il ne disparaisse complètement, je pourrai enlever mes verres fumés pour guetter ce qu'on nomme le rayon vert mais qui n'est, en fin de compte, qu'un tout petit point d'à peine une seconde, résultat du bleu de la mer combiné à la dernière étincelle de l'or du soleil.

Et là, au beau milieu de cette orgie de lumière et sans, bien sûr, que je l'aie appelé, mon projet fou me vient à l'esprit. Mon cœur – le trac, la conscience qu'il est voué à l'échec, la peur que tout ça soit inutile, l'entêtement de quelqu'un qui n'accepte pas la défaite? – sombre dans ma poitrine. Demain. C'est demain que je me lance dans cette étrange tentative de récupération ou, du moins, c'est demain que je devrais me jeter là-dedans si la procrastination, cette nouvelle maladie chez moi, ne me tombe pas dessus.

Lorsque je quitte le banc de métal, puis la jetée, la nuit est tombée. Des roses cendrés ont succédé aux violents orangés, des coulées de mauve ont strié le ventre des nuages, enfin du gris a éteint toute trace de feu en attendant qu'arrive le bleu de la nuit. Quand Vénus est apparue, un trou d'épingle dans la soie du ciel, je me suis levé. J'aurais pu rester là longtemps à ne rien faire, à ne penser à rien, je l'ai souvent fait, les yeux perdus dans la vastitude du ciel, mais j'ai entendu l'irrésistible appel de la Margarita, mon apéro favori, et je me suis levé.

Je consulte ma montre. Dix-huit heures trente, pas trop tôt pour un peu d'alcool. Je me dirige à pas lents vers le Salute, le seul restaurant qui donne directement sur la plage et où je m'arrête souvent après le coucher du soleil. C'est lundi soir, il n'y a pas beaucoup de monde. La serveuse en terrasse me reçoit avec son habituel «*Margarita, straight up, salt?*», j'acquiesce en lui disant bonsoir. Je sirote mon *drink* à toutes petites gorgées. J'aime le pincement du sel sur ma langue mélangé au goût de la limette et de la tequila. Il arrive que ça me fasse monter les larmes aux yeux. Pas ce soir et je le regrette presque. J'ai apporté les deux pilules que je dois prendre avant le souper, vieillesse oblige. Est-ce bien intelligent de les avaler avec de l'alcool? Sans doute pas, mais *fuck*. Je demande un bout de pain, sinon le médicament pour le cœur risque de déclencher des brûlures d'estomac. Puis une soupe après m'être rappelé qu'il n'y a plus grand-chose dans mon réfrigérateur. Puis des pâtes. Je suis bien, là, à regarder les badauds déambuler sur le trottoir de Higgs Beach, petites familles avec carrosse, petits vieux avec cannes, peu de jeunes, pourquoi bouger? Une demi-bouteille de rouge achève de me rendre un peu gorlaud – est-ce seulement un mot? –, pas de dessert, il me reste une portion de tarte aux pêches, et, après avoir payé – gros pourboire parce qu'on m'a accordé mon dix pour cent de *local* –, c'est en chancelant un tantinet que je reprends le chemin de la maison.

L'air salin est humide, oppressant, ça sent un peu le varech. Pas de vent. Des cochonneries vont s'amasser au bord de la plage et ça va chlinguer pendant des jours. J'espère que chez moi ça sentira le jasmin comme hier soir. Encore quelques minutes de marche et je pourrai m'effouerer devant la télévision en essayant d'oublier ce qui m'attend demain matin, ce projet absurde, peut-être même ridicule, ce défi que je me suis lancé sans doute par orgueil et parce que je suis incapable d'accepter la défaite. Si un projet avorté peut être considéré comme une défaite. Je me dirige sans doute à cent à l'heure vers un mur de béton, mais au moins j'aurai essayé. Pour le moment je «petit-tube» vers la maison, comme je le dis toujours.

Je suis seul pour un mois. Des amis qui avaient l'intention de couper l'hiver en deux et de venir passer février dans mon paradis doux, sinon chaud – la Floride est tout de même sujette à des coups de froid –, se sont désistés à la dernière minute et il était trop tard pour lancer de nouvelles invitations.

J'aurai donc en masse le temps de « réparer », si la chose est possible, bien sûr, ce que je ne considère tout de même pas comme un ratage complet, mais, disons, une grande maladresse.

Ce matin, après la piscine et le petit-déjeuner, j'ai exécuté ce que j'appelle *la danse autour de l'ordinateur*, qui n'a rien d'artistique et qui me met en furie.

Tout pour éviter de travailler : je me suis fait un deuxième café – ce qui ne m'arrive jamais –, j'ai placé dans le lave-vaisselle les deux ou trois assiettes sales qui traînaient au fond de l'évier, j'ai lavé ma tasse du matin, je l'ai essuyée trop longtemps, je suis entré trois fois dans mon bureau sans rien y faire parce que l'angoisse me tombait dessus juste à regarder mon ordinateur, j'ai relu mes journaux et joué à *Angry Birds* sur ma tablette électronique, enfin bref j'ai tout fait pour ne pas affronter l'ouvrage qui m'attendait.

Il y a quelques années, j'ai commencé une pièce de théâtre, une espèce d'hommage à Tchekhov, un de mes grands héros littéraires, et j'ai arrêté au bout de quatre-vingts pages, chose qui ne m'était jamais arrivée auparavant. C'est d'ailleurs devenu mon seul fond de tiroir, parce que je n'avais pas l'impression que c'était moi qui m'exprimais, en tout cas que je n'abordais pas des sujets qui me touchaient personnellement. Je m'exprime mal – déjà ! Les problèmes que j'abordais m'intéressaient, le théâtre, la famille, les acteurs, engeance que j'adore, la critique – une scène pas encore écrite –, mais le ton et la structure étaient si différents des miens, les dialogues tellement moins *punchés*, je veux dire à l'américaine, que j'ai fini par me sentir mal à l'aise et j'ai bloqué.

Je l'ai souvent relue depuis. Je ne peux pas dire que je trouve ça mauvais, il y a même de beaux moments ; mais, je ne sais pas, ma volonté de coller le plus possible aux personnages de Tchekhov m'amène à emprunter des avenues que je ne connais pas et où je me sens étranger. Mes personnages à moi ont des coups de gueule différents de ceux du grand Tchekhov et je ne voudrais tout de même pas que la pièce soit une *imitation* des *Trois sœurs* ou de *La cerisaie*, mais bien un *hommage*. Rester moi-même tout en m'inclinant devant l'un des plus grands auteurs de théâtre de l'Histoire.

Et ces dernières semaines j'ai eu envie, allez savoir pourquoi, peut-être parce que l'inspiration à soixante-seize ans n'est plus ce qu'elle était, de tout reprendre ça, de chercher ce qui ne va pas, de brasser la cage, et de tenter de mener mon projet à terme, quitte à le garder pour moi, à le retourner au fond du tiroir d'où je l'ai retiré si je trouve la pièce vraiment mauvaise. Me contenter. Voilà, j'ai trouvé le mot. Me contenter. En tout cas, apaiser ma conscience.

Je ne veux pas me coltailler à Tchekhov, je veux juste lui rendre hommage.

Je vais donc la relire, en faisant des annotations, cette fois, et essayer de la terminer. Si j'y arrive, tant mieux, sinon… Au moins j'aurai à faire face à un vrai échec, je pourrai l'assumer entièrement, puis l'oublier.

J'ai le choix. Soit faire selon ma première idée, annoter au fur et à mesure de la lecture et continuer d'écrire si je trouve que ça en vaut la peine, soit lire sans prendre de notes et finir la pièce de toute façon, pour, après, tout revoir.

J'ai passé une partie de la nuit à y réfléchir, et me voilà ce matin devant mon ordinateur plus hésitant que jamais. Les deux façons de procéder sont intéressantes. Me plonger dans l'action sans avoir tout analysé me permettrait peut-être de retrouver l'aisance avec laquelle j'écrivais quand j'étais plus jeune : je savais toujours où j'allais, tout ce que la pièce ou le roman allait contenir, et pourquoi, mais je me jetais à l'eau en me fiant à mon instinct pour éviter les trop grandes erreurs et j'écrivais vite. Je disais à mon metteur en scène ou à mon éditeur de me laisser «me raconter la chose jusqu'au bout une fois avant de commencer à tout décomposer» et, la plupart du temps, ça marchait.

L'autre façon de procéder serait nouvelle pour moi. Décortiquer au fur et à mesure ce qui existe déjà, d'abord pour en tester la valeur et la pertinence, ensuite juger si ça vaut la peine que je continue. Même si je crois qu'aucune écriture n'est jamais perdue : cette pièce abandonnée depuis des années, j'avais besoin de l'écrire quand je l'ai fait, elle m'a donc servi à quelque chose bien que je l'aie délaissée en chemin. Me servirait-il à quelque chose de la terminer? Est-ce que j'en ai besoin? Est-ce seulement de l'entêtement si je m'y intéresse maintenant? Ou la frustration de quelqu'un qui n'a plus rien à dire et qui revient sur ses vieilles erreurs? Un *remake* comme en commettent tant les Américains parce qu'ils ne savent plus quoi inventer? Dieu m'en garde.

Je me souviens que j'aimais cette famille d'acteurs, la ressemblance avec les personnages de Tchekhov dont j'avais réussi à les imprégner. L'atmosphère de la pièce aussi, cette soirée chaude de l'Action de grâces, la maison, le jardin, le lac. Mais ce qui m'a convaincu d'arrêter l'écriture de la pièce reste vague… Je me souviens que la présence du critique me gênait, que je ne savais plus quoi faire de lui alors qu'il m'avait semblé si important quand j'avais commencé l'écriture : un critique de théâtre plongé dans une famille d'acteurs pendant un repas de famille, c'est intéressant, non?

En fin de compte, je crois que je vais opter pour la deuxième solution, ou, plutôt, un mélange des deux. Je vais relire les quatre-vingts pages pour me remettre tout ça en mémoire et je vais recommencer depuis le début en prenant des notes pour souligner ce que j'aime et ce qui fait défaut. Une analyse de texte comme on en faisait à la petite école.

Et, peut-être bien, une cuisante leçon d'humilité.

Je viens d'imprimer *Cher Tchekhov*.
Allons-y.
À Dieu vat.

CHER TCHEKHOV

Pièce en un acte

PERSONNAGES

BENOIT
Auteur de théâtre

LAURENT
Chum de Benoit

CLAIRE
Sœur aînée de Benoit

GISÈLE
Sœur cadette de Benoit

MARIE
Autre sœur cadette de Benoit

BENJAMIN (DIT BEN)
Benjamin de la famille

CHRISTIAN
Critique de théâtre

Le jardin d'une maison de campagne au bord d'un lac.
Une table a été mise pour sept personnes.
C'est l'automne, mais il fait doux.
C'est l'été des Indiens.
Le soleil se couche.
Ça sent la dinde qui rôtit dans le four.
Entrent Benoit et Laurent, en pleine discussion.

N.B. Déjà une note.
La première scène commence
de la même façon
qu'une de mes pièces précédentes :
un couple de gays arrive
à une maison de campagne.
Je ne voulais pas me citer.
Juste faire un clin d'œil.
Comprenne qui peut.

BENOIT. Ça se fait pas, c'est tout !

LAURENT. Ça fait cent fois que tu dis ça depuis qu'on a quitté Montréal, Benoit. Développe un peu !

BENOIT. Y a rien à développer ! Ça se fait pas, c'est tout ! Une actrice de théâtre couche pas avec un critique de théâtre ! C'est pas compliqué à comprendre et c'est d'une grande logique. Chacun dans son monde.

LAURENT. Tu sais même pas c'qu'y a entre eux…

BENOIT. Claire est ma sœur, je sais très bien c'qu'y a entre eux !

LAURENT. Tu y en as même pas parlé…

BENOIT. J'ai pas besoin d'y en parler ! J'sais d'avance tout c'qu'a' va me dire ! C'est sa spécialité, les jeunes hommes qui la flattent. On a eu droit à ça toute notre vie, dans' famille. Le jour où y va moins la flatter, y va moins l'intéresser. Quand c'est des jeunes acteurs ou des jeunes professionnels, a'l'a toutes sortes de subterfuges pour se débarrasser d'eux… Si t'avais pas été gay, tu serais probablement passé à la casserole, toi aussi. Mais le problème avec celui-là, c'est que c'est un critique ! Qui risque d'avoir à parler d'elle après leur séparation. Ce qui fait qu'a' va être obligée de l'endurer, sauf s'il se met à la prendre en grippe. En tout cas plus longtemps que les autres. Pour une fois, a' s'est piégée elle-même. J'te vois venir, tu vas encore me traiter de cynique…

LAURENT. Tu l'es, cynique…

BENOIT. Ben oui. Mais avoue que dans ce cas-ci, y a de quoi ! Tu sais aussi bien que moi comment on les appelle dans le milieu. Méphisto et Clytemnestre.

> N.B. Je trouvais intéressante l'idée
> d'une actrice de théâtre
> qui prend un critique comme amant,
> mais, on va le voir plus loin,
> je n'ai pas trop su quoi en faire…

> J'ai arrêté l'écriture
> avant de développer cette relation.

Il aperçoit la table.

BENOIT. Ah, y ont mis la table de maman. Ça doit être une idée de Benjamin. R'garde, les sept verres de jus de tomate. Quand maman recevait, même si y avait une entrée, une soupe ou bien une salade, a' mettait toujours un verre de jus de tomate à chaque place. Juste avant que les invités arrivent. A' disait que ça mettait de la couleur, de la vie, que c'était théâtral… Et ça lui rappelait sa mère… Le jus de tomate avait eu le temps de tiédir, mais on le buvait quand même…

LAURENT. En plus d'être cynique, tu radotes… Tes anecdotes au sujet de ta mère, j'les connais par cœur, Benoit…

BENOIT. Tu vois, si j'étais Claire, j'te laisserais tomber pour pouvoir aller raconter mes anecdotes au sujet de ma mère à quelqu'un de nouveau… Mais certainement pas un critique de théâtre…

LAURENT. Au bout d'un mois ou deux, y serait peut-être moins patient que moi…

BENOIT, *avec un petit sourire en coin.* T'es si tanné que ça de les entendre, mes anecdotes?

LAURENT. Oui, mais chus encore capable de les endurer…

BENOIT. Parce que tu m'aimes trop…

LAURENT. T'es pas comme ta sœur, t'as pas besoin des autres pour te flatter, tu prends pas de chances, tu le fais toi-même…

Ils rient.
Gisèle sort de la maison en s'essuyant les mains sur son tablier.

GISÈLE. Y me semblait que j'avais entendu une voiture…

LAURENT. Ça sent la dinde jusqu'au bout du chemin.

GISÈLE. C't'incroyable! C'est la première fois qu'on peut manger dehors à l'Action de grâces, je pense… Oh, attends un peu, Laurent, j'ai quequ' chose pour toi…

Elle fouille dans une poche de son tablier.

GISÈLE. Je l'ai mise là pour pas l'oublier…

Elle sort une cravate.

GISÈLE. J'savais pus trop si c'était à toi ou à ton personnage…

LAURENT. C't'à moi…

GISÈLE. Tu l'avais oubliée dans la salle de maquillage. J'aurais pu la laisser là, mais j'ai pensé…

BENOIT. Laurent a pas juste une cravate, Gisèle, si c'est ça que tu pensais…

GISÈLE. Mon Dieu, t'as l'air de bonne humeur, toi! Laurent porte jamais de cravate, y avait de quoi se poser des questions… Mais pourquoi t'as l'air bête comme ça?

Marie et Benjamin sortent à leur tour de la maison.

N.B. Cette petite scène peut paraître inutile, mais je voulais qu'on sache

dès le début que quelque chose
liait Gisèle et Laurent.

MARIE. Si c'est pour la même raison que moi, j'le comprends.

BENJAMIN, *à Laurent*. Qu'est-ce que t'avais d'affaire à les inviter ici, toi!

LAURENT. Ah, vous allez pas toutes vous mettre sur mon dos!

MARIE. Certainement! La famille au grand complet!

BENJAMIN. Pis tu le mérites sur un vrai temps!

LAURENT. J'mérite rien du tout! Claire est votre sœur, je pouvais pas savoir qu'est-tait pas invitée à votre maudit souper d'Action de grâces!

GISÈLE. Est-tait invitée!

BENJAMIN. C'est lui qui l'était pas!

LAURENT. Ben, comment ça se fait qu'est-tait pas au courant, pour le souper, quand j'y en ai parlé?

GISÈLE. Parce que tu les as rencontrés avant que je l'appelle!

LAURENT. C'est quand même pas de ma faute si t'as attendu à la dernière minute pour l'appeler! On le sait depuis deux semaines, nous autres!

BENOIT. Laurent a raison…

LAURENT. Toi, mêle-toi de tes affaires. Chus capable de me défendre tout seul!

MARIE. Mon Dieu, toi aussi t'as mis ton air bête!

LAURENT. Écoutez… J'les ai croisés sur la rue Saint-Denis…

MARIE. Qu'est-ce que tu faisais là pour l'amour du bon Dieu…

LAURENT. Y a d'excellents restaurants sur la rue Saint-Denis!

MARIE. J'pensais que ton fief c'était la rue Mont-Royal…

LAURENT. C'est pas parce qu'on reste sur le Plateau que c'est mon fief. Ça serait celui de Benoit aussi dans ce cas-là…

N.B. Il manque quelque chose
à cette réplique.

LAURENT. C'est pas parce qu'on reste sur le Plateau que c'est mon fief. Ça serait celui de Benoit aussi dans ce cas-là, pis vous y reprochez jamais…

N.B. C'est mieux.

MARIE. Mais c'est toi que tout le monde drague, qui *vis* intensément le Plateau-Mont-Royal.

N.B. Là aussi, il manque
quelque chose.

MARIE. Mais c'est toi que le monde drague, qui vis intensément le Plateau Mont-Royal. La vedette de télévision! Combien de selfies on te demande chaque jour? Combien de sourires figés t'es obligé de faire? Hein?

LAURENT. Coudonc, me cherches-tu, à soir, toi?

GISÈLE. Ben oui, laisse-le finir son histoire…

LAURENT. Au moins, laisse-moi la commencer…

MARIE. Vas-y, justifie-toi…

LAURENT. J'ai pas à me justifier… C'est vous qui voulez savoir comment c'est arrivé…

MARIE. Pantoute! Quelle que soit la raison de leur présence, j'ai juste envie de rester enfermée dans ma chambre d'enfant toute la soirée avec mes poupées Barbie pis mon poster de Queen.

LAURENT. Fais donc ça, ça va rendre service à tout le monde.

GISÈLE. Bon, ça va faire, là, quand vous commencez, vous deux, ça peut durer des heures. J'ai jamais compris ce qui vous montait l'un contre l'autre comme ça…

BENJAMIN. C'est pourtant évident.

MARIE. Quoi? Qu'est-ce qui est évident?

Benjamin va lui répondre, Benoit les interrompt.

BENOIT. Marie, Benjamin, laissez Laurent parler!

Marie leur tourne le dos, se retire à l'écart.

LAURENT. C'est pas compliqué… Y se promenaient main dans la main, y se bécotaient pour que tout le monde les voie… La grande actrice pis un beau jeune homme. Évidemment, personne savait qui il était, lui, ça devait faire l'affaire de Claire. J'les ai croisés à la porte de l'Express. Bonsoir, bonsoir. Moi non plus j'avais pas envie d'y faire la jasette, à lui, mais y était avec votre sœur… Et quand j'ai vu qu'y se préparaient à entrer à l'Express eux autres aussi, j'ai décidé de continuer mon chemin quand on aurait fini de parler et d'aller manger ailleurs.

MARIE. Dans ton fief.

GISÈLE. Marie, tu vises dans le beurre, là…

LAURENT. De fil en aiguille, je sais pas trop comment, on en est arrivés à parler du souper de ce soir… Claire a ouvert des grands yeux quand j'en ai parlé, et j'ai pensé qu'a' le savait mais qu'a' voulait pas en parler devant Christian. J'savais pus quoi dire quand j'me suis rendu compte qu'a'l' était vraiment pas au courant…

MARIE. Ça fait que tu les as invités.

LAURENT. Marie! Voyons donc! C'est elle qui s'est invitée! Enfin, qui s'est invitée avec lui… Qu'est-ce que vous vouliez que je dise?

BENJAMIN. Je sais pas, moi, t'aurais pu y dire que… je sais pas… que les… les conjoints étaient pas invités.

LAURENT. Je leur avais déjà dit que j'étais invité, moi.

MARIE. Depuis le temps, t'es pus un conjoint, tu fais quasiment partie de la famille…

LAURENT. Mon Dieu, chus pas sûr que c'est un compliment, ça, là… De toute façon, Christian le sait pas, ça… Que je fais partie de vos meubles.

MARIE. C'est pas ça que j'ai dit.

LAURENT. C'est ça que ça voulait dire.

MARIE. Ben non. Pis tu le sais.

BENOIT. Bon, bon, bon, on commence ce souper-là d'un bien mauvais pied.

BENJAMIN. Pis Dieu sait comment y va finir!

N.B. J'avais d'abord pensé que cette
scène d'introduction
était un peu longue, mais je me rends
compte que, bien rythmée,
elle pourrait être intéressante.
Et elle donne de bons renseignements
sur les personnages. Bien montée,
elle pourrait « faire court ».

GISÈLE, *à Benoit*. Ce qui me fait penser que tu m'as pas parlé de ma table…

BENJAMIN. De notre table, c'est moi qui y ai pensé…

GISÈLE. Si tu y tiens… Tu y as pensé, mais t'as pas fait grand-chose à part remplir les verres de jus de tomate.

BENJAMIN. Ça me rappelle maman… J'la vois tourner autour de la table avec son pot de jus de tomate en disant qu'y faut qu'a' se dépêche parce que la visite va arriver.

MARIE. Pendant que tu la suivais en tenant le bout de sa robe… T'avais failli la faire tomber, une fois…

BENJAMIN. Merci de me le rappeler…

BENOIT. 'Est très réussie, votre table, mais je sais pas si a' va pouvoir servir.

MARIE. Comment ça?

BENOIT. C'est ben beau, comme ça, y fait doux pour la saison, on a battu des records de chaleur pour un mois d'octobre… Parce que pour une fois, on a un vrai été des Indiens… Mais quand le soleil va se coucher pis que le cru va nous tomber dessus, chus pas sûr qu'on puisse manger dehors!

GISÈLE. Hé que t'es rabat-joie!

MARIE. Tu changeras jamais, hein?

BENJAMIN. Toujours pareil, toujours en train de casser notre fun...

BENOIT. Si j'étais pas là pour le faire, vous vivriez dans un éternel monde de fantaisie...

GISÈLE, *à Laurent, comme si Benoit n'avait rien dit.* Je sais vraiment pas comment tu fais pour vivre avec un éteignoir pareil...

> N.B. Cette réplique devrait appartenir à Marie.

MARIE, *à Laurent, comme si Benoit n'avait rien dit.* Je sais vraiment pas comment tu fais pour vivre avec un éteignoir pareil...

LAURENT. Y a des compensations...

MARIE. J'espère...

LAURENT, *la regardant dans les yeux.* Des grosses...

BENOIT. J'gage que vous aviez pas pensé à ça... Que le poil de la dinde risque d'y redresser sur les cuisses quand le soleil va être tombé.

GISÈLE. Avec des répliques comme celle-là, on pourrait jamais imaginer que t'as déjà écrit des bonnes pièces, toi...

BENOIT. Oh, les couteaux vont voler bas à soir, à ce que je vois...

BENJAMIN. Ben, on attend un critique...

BENOIT. Justement celui qui m'a traité de *has been*…

LAURENT. Y t'a pas traité de *has been*, Benoit.

MARIE. Y a été plus poli que ça…

BENOIT. C'est pas parce que le style était fleuri que c'est pas ça que ça voulait dire.

LAURENT. De toute façon, tu retiens rien que les choses négatives qui ont été dites à ton sujet, Benoit. Ce gars-là a dit des choses très belles sur toi, et, c'est vrai, des choses moins belles. Mais faut pas juste retenir le négatif.

Benoit hausse les épaules.

BENOIT. C'est pas ça que tu dis quand tu te fais descendre…

BENJAMIN. Moi, j'me rappelle pas qu'y ait parlé de moi. J'ai l'impression que j'existe pas pour lui… On me voit-tu quand je joue au théâtre, coudonc? L'acteur transparent faute d'être transcendant?

MARIE. Tu travailles moins que nous autres, Ben.

BENJAMIN. Merci de me le rappeler. Peut-être qu'y me reconnaîtra même pas, quand y va arriver, c'est ça que tu veux dire?

BENOIT. Ah, Ben, franchement…

BENJAMIN. Y va arriver ici, y va serrer les mains, pis arrivé à moi… quoi, y va me prendre pour le *butler* pis y va me commander un *drink*?

MARIE. C'est toi qui devrais écrire des pièces, Ben, ça ferait une bonne scène de boulevard, ça…

BENOIT. Ça fait longtemps que ça a été fait…

GISÈLE. De toute façon, y a pas de danger qu'y te prenne pour le *butler*, t'as pas encore mis ta livrée…

Les autres éclatent de rire.

> N.B. Est-ce trop long avant
> que les indésirables arrivent?
> Faudrait que je revoie ça…

Benjamin, piqué, se dirige vers l'escalier qui mène à la galerie de la maison.

MARIE. Voyons donc, Ben, tu sais ben que c'est une farce…

LAURENT. Le v'là reparti…

GISÈLE. Macha est déjà au bout de ses nerfs…

BENJAMIN. J't'ai entendue, Gisèle!

GISÈLE. Ben, arrête de brailler à tout bout de champ si tu veux pas qu'on t'appelle Macha…

BENJAMIN. Si vous me lâchiez, un peu, aussi…

LAURENT. Bon, le persécuté maintenant.

BENJAMIN. J'aimerais ben te voir à ma place, toi…

LAURENT. J'y ai été plus souvent qu'à mon tour… Je sais pas si vous vous rappelez c'que vous m'avez fait traverser quand j'ai rencontré Benoit…

BENOIT. Laurent, commence pas avec ça…

LAURENT. Fallait ben que j'y réponde que-qu'chose…

Benjamin est entré dans la maison suivi de Marie.

GISÈLE. De toute façon, pour en revenir à la dinde, y a des tas de vestes de laine dans' maison.

BENOIT. Manger de la dinde emmitouflé dans une veste de laine avec les ours qui montrent les griffes ou les cerfs qui font leur important, es-tu folle, toi?

N.B. Qu'est-ce que les cerfs
viennent faire là-dedans?
Je ne comprends même pas
la réplique.
Essayons autre chose.

BENOIT. Manger de la dinde emmitouflé dans une veste de laine avec les ours qui s'aiguisent les griffes pis les ratons laveurs qui risquent de nous monter sur les genoux pour nous voler notre manger? Es-tu folle, toi?

N.B. C'est mieux.
En tout cas, c'est plus drôle.

GISÈLE. C't'une meilleure réplique, ça, Benoit, tout est pas perdu!

BENOIT. Si tu fais partie de ceux qui pensent que mon avenir est derrière moi, j'ai des petites nouvelles pour toi…

GISÈLE. C'est pas ce que je voulais dire. Fais-moi pas le répéter dix fois… Si j'ai atteint un nerf particulièrement sensible, chus désolée.

LAURENT. Comme si tu le savais pas…

GISÈLE. Toi, laisse-nous régler nos affaires entre nous!

LAURENT. C'est facile de prétendre qu'on est désolé quand on savait très bien où on visait…

GISÈLE. C'est pas parce que Benoit a rien écrit depuis trois ans que ça veut dire qu'y est fini, c'est ça que je voulais dire…

LAURENT. Tu vois, tu continues, mine de rien…

Laurent fait le geste de tourner le fer dans la plaie.

GISÈLE. Y avait rien de malveillant dans ce que je disais! Je le jure!

BENOIT. Ben oui, ben oui, on te croit. Passons à autre chose. En attendant, la dinde rôtit et nos invités d'honneur arrivent pas.

GISÈLE. A' va arriver à la dernière minute, tout essoufflée, désolée, a' va faire une entrée comme celles qu'a' fait dans Tchekhov, Elena ou ben Arkadina, grande dame, gentille et condescendante en même temps… A' va virevolter en criant son bonheur de revenir à la campagne… Un acte complet d'*Oncle Vania* va y passer.

LAURENT. Si je savais pas que tu parles de ta sœur, j'penserais que tu l'haïs!

GISÈLE. Je l'aime pas toujours. Y a juste le public qui l'aime toujours. Ceux qui la connaissent…

BENOIT. Gisèle…

GISÈLE. Avoue qu'a' fait pas grand-chose pour qu'on l'aime…

LAURENT. J'pense qu'a' se sacre pas mal de ce que les autres pensent d'elle… C'est plutôt sympathique…

GISÈLE. Ouan, ben t'as pas passé ta vie avec elle, toi…

LAURENT. Tant qu'à ça…

GISÈLE. De toute façon, ça existe pas une actrice qui se sacre de ce que les autres pensent d'elle…

Silence.
Benoit regarde vers la route.
Laurent fait le tour de la table.

LAURENT. J'ai jamais remercié le ciel pour quoi que ce soit à l'Action de grâces, moi…

BENOIT. Même quand t'étais petit?

LAURENT. On fêtait pas ça chez nous. Ma mère était trop intelligente, elle ne nous aurait jamais fait remercier pour un père alcoolique pis une vie de barreau de chaise. Pour ce qui est de la dinde, c'tait réservé à Noël, et encore, est-tait jamais ben grosse… J'pense qu'a'l' achetait une grosse poule en nous faisant croire que c'était une dinde…

BENOIT. Pis aujourd'hui?

LAURENT. J'apprécie ce que j'ai. Mais je pense pas que ça vienne du ciel. C'est la vie que je remercie.

                    N.B. Il vient de dire
                    qu'il ne remerciait jamais.

LAURENT. J'apprécie ce que j'ai. Mais je pense pas que ça vienne du ciel. C'est la vie, je suppose, que je devrais remercier. *(Il prend un jus de tomate.)* J'peux-tu? J'ai soif.

                    N.B. C'est mieux.

BENOIT ET GISÈLE. Es-tu fou?

Laurent boit le jus de tomate.

BENOIT. Si Marie s'en rend compte…

LAURENT. J'vais le remplir après…

GISÈLE. T'es mieux d'aller t'en chercher un dans' maison. Pis si Marie te demande de faire quequ'chose pour l'aider, dis pas non.

LAURENT. Chus sûr qu'y ont pas besoin de moi. D'ailleurs, ça me fait penser, on nous a encore rien offert à boire…

GISÈLE. On attend la Grande Actrice pour le champagne.

LAURENT. J'aurais dû y penser…

Il entre dans la maison.
Assez long silence gêné.

BENOIT. On est-tu vraiment obligés d'attendre la Grande Actrice pour commencer à boire? Y doit y avoir autre chose que du champagne, jamais je croirai…

GISÈLE. Marie a décidé que c'était un repas au champagne… D'un bout à l'autre.

BENOIT, *ironique.* A' veut quand même impressionner le critique, hein?

GISÈLE. C'est peut-être juste en souvenir de maman…

BENOIT. Ouan… On va y donner le bénéfice du doute. *(Court silence.)* Si maman était là, ça ferait longtemps qu'on aurait sifflé deux ou trois bouteilles… Y a pas de Grande Actrice qui l'aurait fait attendre…

GISÈLE. Faut dire qu'à l'époque, c'tait elle la Grande Actrice.

BENOIT. Excepté que dans son cas, c'était vrai. C'tait autre chose que Claire… même si Claire se prend pour elle par bouts…

GISÈLE. Benoit!

BENOIT. T'as vu son Arkadina comme moi, Gisèle… Qu'est-ce qui s'est passé avec notre sœur? C'est-tu son nouveau metteur en scène de génie qui l'a rendue mauvaise comme ça? Arkadina, c'est pas une caricature! C'est un être humain, pas un clown!

GISÈLE. T'es pas allé la voir en coulisse après le spectacle. A' t'en veut.

BENOIT. A' t'en a parlé?

GISÈLE. Oui.

BENOIT. Ça va être beau. Les reproches en plus du critique de théâtre… qui l'a trouvée extraordinaire, d'ailleurs… comme par hasard. Pis comme si ça se pouvait. C'tait tellement évident qu'est-tait à chier.

GISÈLE. A' dit que c'qu'a' faisait dans ce spectacle-là te dépassait tellement que tu savais pas quoi dire.

BENOIT. Chus tout à fait d'accord avec elle. Ça me dépassait. Pis c'est rare que ça arrive, et c'est vrai que je savais pas quoi dire. Tout ce que j'aurais pu faire, en coulisse, ç'aurait été d'y mettre ma main su'a yeule, j'pense!

GISÈLE. Benoit!

BENOIT. Tu sais bien que c'est une façon de parler. *(Silence.)* On fait pas ça à Tchekhov!

Court silence.

GISÈLE. C'est vrai. On fait pas ça à Tchekhov.

Laurent sort sur le balcon.

> N.B. En fin de compte, j'aime assez
> que Claire se fasse attendre…
> La surprise sera d'autant plus grande
> quand elle arrivera.

DEUXIÈME COUCHER DE SOLEIL

Cette fois je me suis apporté de la lecture.

Chaque automne, je descends à Key West avec une valise de livres, la plupart des romans québécois, et je me lance dans la production de la rentrée. Un des beaux moments de l'année. Mais ce soir, je n'arrive pas à me concentrer sur le nouveau Kevin Lambert, pourtant formidable.

On appelle ça être accaparé par son travail, je suppose. Celui que j'ai entrepris depuis quelques jours me passionne, mais intéressera-t-il quelqu'un d'autre? Est-ce que je fais tout ça juste pour moi, juste à cause de mon orgueil, parce que cet échec me barbouillait le cœur depuis des années et qu'en tentant de le corriger j'espère mettre tout ça derrière moi et l'oublier une fois pour toutes? Est-ce que ça va ennuyer mes lecteurs qui se foutent peut-être de comment naît une pièce ou un roman? J'espère bien que non. J'aime cette pièce inachevée, si différente de tout ce que j'ai fait auparavant, et je me sens aujourd'hui la force d'affronter les scènes qui m'avaient fait peur, à l'époque – la confrontation entre l'écrivain et le critique, sa découverte qu'il commence à être dépassé par un théâtre plus moderne et surtout plus jeune que le sien, l'impression que sa sœur le trahit parce qu'elle change de camp. Et rendre ainsi la pièce jouable.

Mais pourquoi mettre tout ça dans un hommage à Tchekhov?

J'avoue que je ne me souviens pas de mes premières intentions tout en appréciant le ton feutré que j'avais emprunté, sans doute pour m'empêcher de me laisser aller à mes coups de gueule habituels. Mes personnages crient beaucoup, c'est connu, mais ceux-ci – sont-ils plus civilisés pour autant? –, peut-être à cause de la nuit qui les enveloppe, sont plus… comment dirais-je… nuancés? Pourtant non. Leurs vacheries ne sont ni nuancées ni subtiles. Elles sont tout de même différentes, peut-être à cause du monde dans lequel évoluent les personnages, lui aussi différent.

Mais ne nous embarquons pas là-dedans.

Une barre de pluie cache le soleil. Effet bizarre. Il fait beau tout autour, le ciel est bleu, mais là, à l'horizon, juste devant le soleil, comme un rideau tiré, il pleut. Il n'y aura donc pas de feu d'artifice silencieux. À moins que la pluie ne nous étonne et ne se laisse éclabousser de couleurs.

Peu de monde sur la jetée, comme si les touristes avaient senti que le spectacle allait être annulé. Ceux qui sont là, comme toujours, prennent des photos ou des selfies au lieu de contempler ce qu'ils sont venus voir. Ils vont vivre leur voyage en revenant chez eux…

Une vieille dame, assise à côté de moi, vient de me demander ce que je lis. Je lui ai montré la couverture de mon livre. Elle a ouvert de grands yeux et m'a ensuite demandé ce que *Querelle de Roberval* signifiait. Elle avait quelques notions de français, mais ne comprenait rien au titre. Comment répondre sans m'emmêler dans une longue, pénible et confuse explication? La *Querelle* de Genêt, la ville de Roberval et, surtout, ce qui unissait les deux romans? Je lui ai répondu que ce n'était pas traduisible et elle m'a dit avec un grand sourire qu'*everything is translatable, my dear man* avant de se lever et de s'éloigner, tête haute, du banc de métal sur lequel nous étions assis. J'ai essayé de chercher ce que j'aurais pu lui répondre. C'était trop compliqué. Ce n'aurait pas été une traduction, ç'aurait été une explication. Au fait, quel est le titre du roman de Genêt en anglais? Je vais faire aller mon Google en rentrant à la maison…

J'ai tout de même attendu que le soleil soit couché avant de me relever. Question de lui donner une dernière chance. Non. Rien. Mais le ciel, quelques minutes plus tard, a été d'une grande beauté. Pêche. Ni rose ni jaune. Pêche. D'une grande beauté.

Je vais m'installer sous une lampe, au Salute, pour continuer ma lecture tout en sirotant ma Margarita quotidienne. Pourvu que la pluie ne se dirige pas vers nous.

N.B. Je me sens plus d'attaque
ce matin. Je n'ai pas tourné en rond
autour de l'ordinateur,
je me suis tout de suite jeté
dans le travail après le petit déjeuner.

LAURENT. J'ai trouvé quequ'chose de plus fort que le jus de tomate… pis j'ai mis du jus de tomate dedans. Délicieux. *(Il s'appuie contre le chambranle de la porte. En montrant le lac, en direction du public :)* R'gardez comme c'est beau.

Les deux autres se retournent.

GISÈLE. Le soleil va se coucher.

BENOIT. C'est incroyable. Les reflets dans l'eau. On se tanne jamais.

LAURENT. Moi, ce que j'aime, c'est les dessins que la réflexion forme sur le plafond de la salle à manger. On dirait qu'on mange sous l'eau.

BENOIT. C'est toujours la même chose, mais c'est jamais pareil.

GISÈLE. On a dû en regarder des milliers.

BENOIT. Quand on était en train de manger, des fois, nos parents arrêtaient le repas.

GISÈLE. On descendait jusqu'ici, l'été.

BENOIT. On restait dans la fenêtre, l'hiver. On regardait la neige devenir bleue…

GISÈLE. Marie pis Benjamin doivent être à la fenêtre de la cuisine…

LAURENT. Y vont sortir… Y manqueraient pas ça.

La porte s'ouvre, sortent Marie et Benjamin.

GISÈLE. V'nez voir ça…

BENJAMIN. Hé, que c'est beau! *(Marie et Benjamin viennent rejoindre Gisèle et Benoit. Laurent reste sur la galerie, comme s'il n'osait pas se mêler à leurs rêveries. Benjamin écrase une larme.)* Ça a pas de bon sens.

MARIE. Benjamin, tu vas pas brailler pour un coucher de soleil!

BENOIT. Ce serait pas la première fois.

BENJAMIN. J'peux pas m'en empêcher. C'est trop beau.

Les cinq personnages restent silencieux un long moment. La lumière change sensiblement.

MARIE. Quand le soleil commence à se cacher derrière les arbres, comme ça..

GISÈLE. Pis qu'on peut le regarder en face jusqu'à ce qu'y disparaisse complètement…

BENJAMIN. J'sais pas si y va y avoir un rayon vert aujourd'hui…

BENOIT. Ça existe pas, le rayon vert…

BENJAMIN. Je l'ai souvent vu…

BENOIT. C'est parce que tu voulais le voir.

BENJAMIN. J'te l'ai souvent montré… mais toi tu voulais pas le voir…

MARIE, *sans bouger de sa place.* La dinde rôtit pas.

GISÈLE. Quoi?

MARIE. La dinde. A' rôtit pas.

GISÈLE. Comment ça, la dinde rôtit pas…

MARIE. Ça fait des heures qu'est au four, pis est blanche, blanche, blanche…

BENJAMIN. J'ai tiré sur un des pilons. Y a rebondi.

Ils se regardent enfin.

BENOIT. Qu'est-ce qu'on va faire?

MARIE. J'ai relevé la température du four. On peut rien faire d'autre.

BENOIT. L'as-tu arrosée?

MARIE. Benoit! C'est pas ça qui fait cuire la dinde! Maman se faisait un devoir de jamais arroser un poulet ni une dinde. A' disait qu'y fallait même pas ouvrir le four… Jamais.

BENJAMIN. Fallait voir le résultat, des fois, aussi…

LAURENT. La Grande Actrice peut arriver à l'heure qu'a' veut, a' sera pas en retard, la dinde va la battre.

Ils rient.
Longtemps.

BENOIT. Battue par une dinde!

Ils se calment.

GISÈLE. C'est fini.

BENJAMIN. Quoi…

GISÈLE. Le coucher de soleil. C'est fini. Y va faire noir dans pas longtemps.

BENJAMIN. Mais regarde ça, ça brille derrière les arbres.

GISÈLE. Oui. C'est presque blanc.

MARIE. J'vais quand même aller éplucher les patates…

BENJAMIN. J'vais ouvrir les cannes de petits pois…

MARIE. J'espère que ça te fera pas pleurer…

GISÈLE. Benoit… Irais-tu faire un autre petit tour sur la route pour voir si y arrivent? Faudrait que je parle à ton chum.

BENOIT. Mon Dieu, y a-tu un drame?

GISÈLE. Non, non, faut juste que je règle que-qu'chose…

BENOIT. C't'au sujet de votre télésérie?

GISÈLE. Oui…

BENOIT. Pis tu peux pas parler de ça devant moi…

GISÈLE. C'est plutôt délicat…

BENOIT. Mooon Dieuuuu, que de mystère…

Il s'éloigne.

LAURENT. As-tu une mauvaise nouvelle à m'annoncer? Tu me fais peur.

GISÈLE. Non, pas vraiment.

LAURENT. Comment ça, non, pas vraiment! Y veulent-tu tuer mon personnage pis y sont trop trous de cul pour me l'apprendre eux-mêmes?

GISÈLE. Arrête donc de t'inquiéter…

LAURENT. Je le sais que le réalisateur m'aime pas…
Y voulait pas de moi, c'est les auteurs qui ont insisté.

GISÈLE. Moi, les auteurs ont même pas insisté.
J'sais pas si tu le sais mais, comme d'habitude, c'est
Claire que tout le monde voulait. Comme est-tait
pas libre, y se sont rabattus comme toujours sur moi,
l'éternel deuxième choix. C'est l'histoire de ma vie.
Quand Claire est pas libre, on appelle sa sœur, a' y
ressemble, a' parle un peu comme elle… pis a' coûte
moins cher. Tu sais pas ce que c'est que de passer
ta vie à être un deuxième choix… Même le public
s'en mêle. «On vous connaît, vous… Vous êtes pas
la sœur de…» Toute la vie, mon petit gars… Mais
je sais pas pourquoi je te dis ça tout d'un coup…

> N.B. Au départ, Gisèle et Marie
> n'étaient qu'un seul personnage,
> mais j'ai pensé à Tchekhov où il y a
> toujours des personnages secondaires
> qui n'ont pas grand-chose à faire
> mais sont tout de même intéressants.
> Par contre, ici, ce ne sont pas
> des parasites,
> mais des membres de la famille.

Laurent, embarrassé, ne sait pas quoi répondre.

GISÈLE, *après un soupir.* De toute façon, inquiète-toi
pas, c'est pas le réalisateur qui décide si les personnages vont mourir ou non…

LAURENT. Une chance! Sinon, je serais mort depuis
longtemps…

GISÈLE. Laurent, arrête! Ce que j'ai à te dire est assez délicat comme ça, rends pas ça encore plus difficile…

LAURENT. Ben, qu'est-ce qu'y a? Dis-le, soulage-toi, ça va être fait!

GISÈLE. Écoute… Hier après-midi pendant notre scène…

LAURENT. Ben oui, on a dû la reprendre trois fois, c'était jamais arrivé… On a pas de misère à s'embrasser, d'habitude… J'embrassais-tu mal, coudonc?

GISÈLE. Laisse-moi parler…

LAURENT. J'étais-tu si mauvais que ça pendant la scène?

GISÈLE. Laurent, j't'ai dit d'arrêter!

LAURENT. OK, OK, j'dis pus rien.

GISÈLE. Écoute, si on a été obligés de reprendre… c'est que t'avais une haleine épouvantable.

Silence.

LAURENT. Quoi? Moi?

GISÈLE. C'tait jamais arrivé, mais j'te dis que c'était quequ'chose…

LAURENT. J'me brosse toujours les dents au moins deux fois avant chaque scène d'amour…

GISÈLE. Ben, laisse-moi te dire qu'hier…

LAURENT, *la coupant.* J'ai justement toujours peur d'avoir mauvaise haleine… Surtout avec ce que vous dites de Roger Martel dans son dos… Ah, je le sais… Mon Dieu, t'as raison…

GISÈLE. Certain que j'ai raison!

LAURENT. Mon Dieu, excuse-moi… On a fait la scène tout de suite après le lunch pis j'étais en retard parce que Benoit m'avait téléphoné pour me demander j'sais pus trop quoi… J'ai oublié! Calvaire! J'ai oublié de me brosser les dents! C'est la première fois!

GISÈLE. Déjà que c'est pas évident d'avoir à frencher le chum de mon frère quasiment toutes les semaines devant un million de téléspectateurs, si en plus y pue l'ail à plein nez…

LAURENT. X'cuse-moi, chus allé manger une pizza à la cafétéria justement avec Roger Martel… Mon Dieu, c'est vrai que ça devait être terrible…

GISÈLE. Fais-en pas une tragédie, là, mais faudrait pas que ça se reproduise…

LAURENT. J'comprends! Je sais pas quoi te dire pour que tu me pardonnes… Une haleine de pizza! Y a rien de pire! *(Pour dérider Gisèle :)* J'devais sentir le chanteur d'opéra! *(Elle ne réagit pas.)*

LAURENT. J'comprends que t'aies eu de la difficulté à finir la scène…

GISÈLE. C'tait pas facile…

LAURENT. J'te jure que ça se reproduira pus…

GISÈLE. Je le sais. Mais y fallait quand même que je t'en parle… C't'idée, aussi, d'aller manger une pizza pour le lunch! C'est vrai qu'y a rien de pire!

LAURENT. Oui, oui, je comprends, chus à tes pieds, j'me bats la poitrine, j'm'arrache les cheveux, j'dormirai pas de la nuit…

GISÈLE. Laurent, essaie pas de tourner ça en farce, c'est sérieux.

LAURENT. J'vas avaler un tube de dentifrice avant chaque scène qu'on aura à faire ensemble… J'vas avoir la nausée, mais j'vas sentir bon !

Elle ne peut pas s'empêcher de sourire.

GISÈLE. Es-tu comme ça avec Benoit quand y essaie d'être sérieux ?

LAURENT. Chus comme ça avec tout le monde quand y essaient d'être sérieux.

GISÈLE. Ça doit être épuisant…

Il semble hésiter.

LAURENT. J'peux-tu te demander une chose ?

GISÈLE. Oui, quoi.

LAURENT. Trouves-tu que ça va mieux ?

GISÈLE. De quoi tu parles ?

LAURENT. J'aimerais ça que tu me répondes vite avant que Benoit revienne. Au sujet de ce que tu m'avais dit, l'autre fois…

GISÈLE. Ah, ça… Oui, ça va mieux. J'trouve que t'es plus là, que t'es plus présent, qu'y commence à y avoir un personnage… Avant…

LAURENT. J'te l'avais dit, les auteurs voulaient une chose, le réalisateur une autre… J'étais pas dirigé…

GISÈLE. On n'est pas dirigés personne, Laurent, c'est un téléroman. Faut qu'on se débrouille avec ce qu'on a. Tu dois le savoir, t'as fait de la télévision toute ta vie.

LAURENT. J'ai déjà été bien dirigé, j'ai joué dans des séries formidables, mais là… j'avoue que chus un peu perdu. Le réalisateur me voit pas, y fait comme si j'étais pas là…

GISÈLE. Fais la même chose, toi aussi. Fais comme si y était pas là pis débrouille-toi. C'est ce que je fais, moi.

LAURENT. T'as tellement plus d'expérience que moi…

GISÈLE. Ben oui, cougar à la télé pis cougar dans la vie… Mais jamais autant que ma sœur…

Ils rient.

LAURENT. C'est quand même drôle à quel point les téléspectateurs se sont vite passionnés pour notre couple…

GISÈLE. Les téléspectatrices, tu veux dire. Toutes les femmes de mon âge rêvent d'avoir quelqu'un comme toi dans leur vie, Laurent… Quant aux gars de ton âge, y regardent pas les téléromans. Sauf peut-être tes admirateurs… Alors continue à faire semblant que je t'inspire les plus brûlants désirs, fais-le du mieux que tu peux et tout va bien aller. On est là pour faire illusion, on en est d'ailleurs la meilleure preuve…

LAURENT. Au fond, ça te frustre, hein ?

GISÈLE. Quoi, donc ?

LAURENT. D'avoir un gay comme partenaire…

GISÈLE. J'en ai eu toute ma vie. J'en ai même marié un sans le savoir…

Marie et Benjamin sortent de la maison.

N.B. J'avais complètement oublié cette scène. Est-elle un peu longue ?

Je voulais établir le fait que Laurent
joue à la télévision l'amant de la sœur
du sien dans la vie.
Mais je trouve que ça fait partie du
suspense avant l'arrivée de Claire…
Et je crois que c'est une bonne scène.

BENJAMIN. Avez-vous entendu?

MARIE. Les v'là!

BENJAMIN. On a vu des lumières…

MARIE. Pis on a entendu un moteur. La Grande
Actrice est parmi nous.

BENJAMIN. Pis la dinde qui est toujours pâle comme
une morte.

MARIE. Ouan, comme Claire à la fin de *La dame
aux camélias…*

BENJAMIN. Au moins, la dinde tousse pas, elle…

VOIX DE CLAIRE. Ça sent la dinde jusqu'au bout
du chemin!

Entrent Claire, Christian et Benoit.
Claire fait évidemment une entrée de Grande Actrice,
comme l'avait prédit Gisèle:
Arkadina ou Elena arrivant de la ville dans un trou de
campagne russe, une entrée rapide et pleine d'énergie.
On a presque l'impression qu'elle s'attend à quelques
applaudissements.
C'est une toute petite femme, une boule d'énergie qui
ne connaît ni le repos ni le silence.

CLAIRE. C'est quand même incroyable, vous avez
réussi à tuer l'odeur de la forêt!

BENJAMIN. A' sent fort, mais a' cuit pas.

CLAIRE. Quoi ? De quoi tu parles ?

BENJAMIN. De la dinde. A' rôtit depuis deux ans pis a' sera pas prête avant Noël…

CLAIRE, *apercevant la table*. Vous avez pas sérieusement envie qu'on mange dehors ! Y fait déjà noir ! Y va faire froid ! Les animaux vont sortir de la forêt pour venir manger dans nos assiettes !

BENOIT. C'est exactement ce que je disais…

GISÈLE. Y faisait tellement beau…

CLAIRE. En plus, je sais même pas si on a assez d'éclairage ! J'aime ça voir c'qu'y a dans mon assiette quand je mange ! J'gage que vous y avez même pas pensé !

GISÈLE. On a des chandelles en masse…

BENJAMIN. J'vais allumer la lumière du porche…

CLAIRE. Ça va être beau pour le teint, ça…

LAURENT, *ironique*. La boisson va peut-être nous mettre un peu de couleur… si on finit par en avoir…

MARIE. Mon Dieu ! C'est vrai, le champagne ! Hé que je sais pas vivre…

> N.B. Claire devrait se rendre compte
> qu'il manque un verre
> de jus de tomate.

CLAIRE. Y manque un verre de jus de tomate.

LAURENT. J'allais justement le remplacer…

CLAIRE. C'est toi qui l'as bu ?

LAURENT. Oui. J'avais soif et t'arrivais pas…

CLAIRE. Y me semblait. Personne de la famille aurait oser faire ça…

Marie se dirige vers la porte.

BENJAMIN. J'vais t'aider. J'vais sortir les grenailles.

CLAIRE. Avant de vous sauver, laissez-moi vous présenter Christian… Non pas qu'y ait besoin de présentations, tout le monde le connaît… Christian, c'est sûrement la première fois que t'as l'occasion de rencontrer le clan au grand complet…

Christian est jeune, beau, à l'aise en toutes circonstances, gentil, vif, spirituel.
Vêtu et lunetté à la dernière mode.

CHRISTIAN. Oui, c'est impressionnant. La plus grande famille d'artistes du Québec…

BENOIT, *à Laurent.* Ça commence souvent par des compliments…

LAURENT. C'est après que ça se gâte…

CHRISTIAN. Je sais que je dois pas être particulièrement le bienvenu, mais dites-vous que chus pas du tout là en tant que critique…

CLAIRE. C'est ça qu'y me dit depuis qu'y sait qu'on a été invités…

CHRISTIAN. … mais en tant que… je sais pas si j'oserais dire ami…

BENOIT. À ta place, je laisserais faire…

CLAIRE. Vous allez être obligés de le voir souvent à partir de maintenant, hein…

BENOIT. À moins qu'on décide de pus te fréquenter...

CHRISTIAN. Claire m'avait beaucoup parlé de la maison de votre enfance... elle appelle ça ses années Vaudreuil. C'est vrai que ça a l'air d'être une belle maison... En tout cas, l'environnement est magnifique.

Personne ne lui répond.
Marie et Benjamin entrent dans la maison.
Christian ne se laisse pas démonter.

CHRISTIAN. Écoutez, j'dois avoir l'air du loup dans la bergerie ou de l'éléphant dans le magasin de porcelaine, je le sais, mais...

BENOIT, *l'interrompant.* J'espère que t'as pas préparé de discours, Christian, parce que ça pognera pas... On te promet d'être civils, on sait vivre, on a été bien élevés, mais faut pas nous en demander plus. Mon frère, mes sœurs pis mon chum sont d'excellents acteurs, mais faut pas trop leur en demander. Fais des minouches à Claire si tu veux, mange ta dinde, bois notre champagne, mais demandes-en pas plus...

CLAIRE. Benoit, franchement.

BENOIT. Claire, je sais très bien ce que tu fais, je sais pas pourquoi tu le fais, mais demandes-en pas plus toi non plus...

CLAIRE. Tu vas pas commencer la soirée sur ce ton-là, toi...

BENOIT. Je sais que t'aimes ça brasser de la marde, mais celle-là, j'avoue que je la comprends pas...

LAURENT. Benoit...

CLAIRE. Chuis pas venue brasser de la marde, comme tu dis, chus venue fêter l'Action de grâces avec ma famille!

BENOIT, *montrant Christian.* Claire! Prends-nous pas pour des imbéciles en plus!

GISÈLE. S'il vous plaît, engueulez-vous pas avant qu'on se mette à table…

LAURENT. Pourquoi? Ça va être plus acceptable quand on va être devant notre dinde pas cuite?

GISÈLE. C'est pas ce que je voulais dire…

LAURENT, *à Gisèle.* Ça a l'air d'être ton thème, ça, à soir…

CHRISTIAN. Avoir su que ma présence causerait tant de problèmes…

BENOIT. Me semble, oui…

CLAIRE. En tout cas, moi, je mange pas dehors…

GISÈLE. Ben, tu mangeras tu-seule dans' maison! Avec ton critique.

CLAIRE. Ben, c'est ça, on mangera en dedans tous les deux… Au chaud, pendant que vous gelez… *(Elle se dirige vers la table, prend un verre de jus de tomate, le boit d'un trait, le cogne sur la table en le reposant.)* Maintenant, y en manque deux. Maman m'aurait tuée, mais j'avais soif.

N.B. Benoit devrait dire
quelque chose.

BENOIT. Toi, t'as le droit, mais pas Laurent?

CLAIRE. Chuis chez moi ici…

GISÈLE. Claire! Le champagne arrive dans deux minutes…

LAURENT. A' nous cherche…

CLAIRE. J'vous cherche pas…

BENOIT. Claire! C'est gros comme le nez dans le visage! Si c'est à moi que t'en veux, prends-toi-z'en pas à tout le monde, envoye, fesse…

La lumière du porche s'allume, Marie et Benjamin sortent de la maison.

BENJAMIN. Ça va être mieux comme ça… On va pouvoir voir sur qui on frappe pis l'effet que ça fait…

CLAIRE. Une actrice peut pas rêver pire éclairage, hein? Bien joué, mon petit frère, j'vais avoir l'air d'un fantôme, là-dedans…

BENJAMIN, *avec un petit salut.* Tu es la bienvenue!

MARIE. On est sept, j'en ai sorti deux bouteilles…

Benjamin dépose le plat de grenailles diverses (noix mélangées, olives, etc.) sur la table.

BENJAMIN. Servez-vous, y en a pour tout le monde… Les olives toutes plissées d'Afrique du Nord, y a rien de meilleur!

CHRISTIAN. Avec plaisir, chus mort de faim.

Christian s'approche de la table; Benjamin s'éloigne de lui comme d'un pestiféré.
Christian s'en rend compte mais ne dit rien.

BENOIT. J'vas en ouvrir une… Laurent, aide moi donc avec l'autre…

MARIE. Y manque un autre verre de jus de tomate…

GISÈLE. Laisse faire ça…

MARIE. C'est elle, hein…

CLAIRE, *qui l'a entendue.* Ben oui, c'est moi.

BENOIT. On dirait que le bouchon est collé…

CLAIRE. Qu'est-ce que ça peut faire…

LAURENT. Pas le mien… Tout va bien…

MARIE. T'sais ce que maman aurait dit…

CHRISTIAN, *à Benoit.* J'peux t'aider…

BENOIT. J'ai pas besoin d'aide…

CLAIRE. Ben oui, je sais tout ça… mais c'est enfantin de se raccrocher à ça, ça fait mille fois que je te le dis…

Les deux bouchons éclatent presque en même temps…

N.B. J'aime bien toute cette agitation,
cette façon qu'ils ont tous
de se bitcher entre eux
au lieu de sauter sur Christian
et de le jeter sur la route.
Une engueulade familière pour éviter
d'entamer l'autre dont ils savent
très bien qu'elle va finir par éclater.
(À mon grand étonnement,
je me rends compte que cette pièce
est moins terrible
que le souvenir que j'en gardais…
Voyons la suite…)

LAURENT. Bon, enfin, qu'on boive quequ'chose!

MARIE, *à Gisèle*. Ta table est toute défaite…

CLAIRE. Franchement, Marie…

MARIE. Ton effet est gâché…

CLAIRE, *à Gisèle*. On l'avait tous vue, ta table, Gisèle! Est-tait ben belle! Aussi belle que celle de maman! Bon, es-tu contente, là?

Benoit et Laurent ont versé du champagne dans les coupes.

CLAIRE. C'est ben beau, tout ça, mais va falloir boire à quequ'chose…

MARIE, *très fort*. C'est l'Action de grâces, Claire! C'tait ma façon de remercier notre mère de s'être tant débattue pour nous élever comme du monde malgré le père qu'on avait! Le grand poète que tout le monde admirait, excepté ses enfants qui le connaissaient vraiment. C'tait un hommage! Ça s'appelle un hommage! Ça arrive, des fois, que les hommages s'adressent à quelqu'un d'autre que toi!

Très court silence.

BENOIT. Merci, Marie. Tu viens de trouver notre premier toast. *(Levant son verre :)* À notre mère qui s'est tant débattue pour nous élever comme du monde malgré le père qu'on avait…

Tout le monde lève son verre.

CHRISTIAN, *à Laurent*. C'est toujours aussi intense, ici?

LAURENT. Attends, t'as encore rien vu. On n'a encore jamais eu un critique comme invité…

BENJAMIN. J'pense qu'on devrait déjà prévoir deux autres bouteilles…

MARIE. C'est ça, sauve-toi dans' maison, comme d'habitude…

LAURENT, *à Christian*. Tu t'abaisses à parler aux acteurs de télévision maintenant ?

BENJAMIN. Au moins, y te voit, toi. Moi, y a jamais un seul critique qui m'a vu sur une scène… Je suis l'acteur invisible. Jamais un mot sur mon interprétation, comme si j'étais pas là…

CLAIRE. Voyons donc, Ben, t'exagères encore.

BENJAMIN. Pas du tout. J'ai toujours su que j'étais celui qui a le moins de talent dans la famille, mais j'aimerais ça, des fois, qu'un critique se rende compte que j'existe ! *(À Christian :)* Te rappelles-tu d'avoir déjà parlé de moi, toi ?

CHRISTIAN. Ben, euh… Je sais pas, là…

BENJAMIN, *aux autres*. Vous voyez… Inodore, incolore, invisible.

CLAIRE. Inodore, pas toujours. Quand t'as bu…

BENJAMIN. Ben, c'est ça, rajoutes-en donc, toi… Dis-moi que c'est juste quand j'ai bu que tu te rends compte de ma présence… Je devrais jouer paqueté, dans ce cas-là, on finirait peut-être par se rendre compte que chuis sur la scène…

Benjamin s'éloigne en haussant les épaules et entre dans la maison, suivi de Laurent.

CLAIRE. J'aimerais ça faire visiter la maison à Christian…

CHRISTIAN. J'en ai tellement entendu parler…

CLAIRE, *en même temps*. J'y en ai tellement parlé.

Ils rient tous les deux.

CLAIRE. On dit toujours la même chose en même temps…

CHRISTIAN. Faut pas exagérer…

CLAIRE. C'est fou…

GISÈLE. Mon Dieu, quel âge que t'as, seize ans ? *(Claire lui tourne le dos.)* J'vais vous servir de guide… On sait jamais ce que Claire pourrait vous raconter au sujet de la maison…

CHRISTIAN. S'il te plaît, dis-moi tu…

GISÈLE. J'ai jamais tutoyé un critique de ma vie, j'commencerai pas aujourd'hui… On va passer par la porte d'en avant. C'est toujours ça que notre mère faisait quand quelqu'un de nouveau venait nous visiter. Par ici, on va faire le tour… La façade est beaucoup plus belle, vous allez voir.

Claire prend Christian par le bras.
Ils s'éloignent.

CLAIRE, *en riant*. C'tait pour porter bonheur qu'a' faisait ça. Es-tu sûr que tu souhaites du bonheur à Christian, Gisèle ?

GISÈLE. J'ai toujours pensé que ça portait bonheur à la maison, pas aux invités… *(À Claire :)* J'comprends pas pourquoi tu fais ça, d'ailleurs, t'as toujours haï cette maison-là.

CLAIRE. C'est pas tellement la maison que j'aimais pas…

Ils disparaissent dans le noir.
Court silence.

Benjamin revient, deux bouteilles de champagne à la main, suivi de Laurent.

BENJAMIN. Où est-ce qu'y sont?

MARIE. La traditionnelle visite de la maison.

BENJAMIN. On en a pour un bout de temps. J'devrais peut-être aller reporter les bouteilles dans le réfrigérateur...

BENOIT. Non, non, moi j'en veux tout de suite...

Benjamin ouvre une bouteille.

> N.B. Est-ce bien sage de faire sortir
> Claire et Christian
> presque aussitôt arrivés?
> Mais je me souviens que je tenais
> beaucoup à la scène qui suit,
> plus dans le style de ce que j'écris
> d'habitude.

La scène suivante, lente, un peu angoissante, se déroule comme dans un rêve.
Il fait noir, tout est calme, les quatre personnages se voient à peine.
Benoit et Laurent s'emparent chacun d'une chaise qu'ils portent à l'autre bout de la scène.
Marie et Benjamin s'installent en bout de table.

MARIE. N'empêche que Claire a raison...

BENJAMIN. On voit déjà quasiment pus rien...

BENOIT. On voit déjà quasiment pus rien...

MARIE. C'est ridicule de penser qu'on va pouvoir manger dehors...

BENJAMIN. C'est même pas le froid qui va nous faire rentrer, en fin de compte...

MARIE. On pourrait installer des chandelles un peu partout...

LAURENT. Surtout qu'avec la lumière crue du spotlight...

BENJAMIN. Les chandelles, c'est bon pour l'atmosphère, pas pour l'éclairage...

BENOIT. Faut pas oublier qu'on a trois actrices parmi nous...

BENJAMIN. Et chuis pas sûr qu'on en veut, de l'atmosphère, en fin de compte...

MARIE. Tout rentrer ça, la vaisselle, l'argenterie...

BENOIT. On a deux acteurs, aussi...

BENJAMIN. On dressera une autre table dans la maison, c'est tout...

LAURENT. J'pense pas que l'éclairage nous dérange beaucoup, Benjamin et moi...

BENJAMIN. ... dans la salle à manger...

MARIE. Gisèle s'est donné tellement de mal...

BENOIT. Laurent, franchement...

BENJAMIN. ... avec d'autre vaisselle...

BENOIT. Fais-moi pas rire... Un acteur, c't'un acteur.

BENJAMIN. Ça va être déprimant de trouver cette table-là, demain matin...

MARIE. On prendra le petit déjeuner ici... en commençant avec un verre de jus de tomate...

BENJAMIN. On n'aurait pas dû la laisser nous convaincre…

BENOIT. Chus sûr que tu vas te placer dos à l'éclairage, Laurent…

BENJAMIN. On la laisse toujours nous convaincre…

BENOIT. T'aimerais mieux qu'on te voie pas pantoute plutôt que de te montrer dans cette lumière-là…

MARIE. C'est ben ça le problème…

LAURENT. Tu me connais trop…

BENJAMIN. C'est ben ça le problème…

Marie étire le cou en direction de Benoit.

MARIE. J'sais pas si a' va y faire faire le grand tour…

LAURENT. Sans doute. Tout pour nous faire attendre. Mais Gisèle va peut-être y pousser dans le dos.

MARIE. C'pas à toi que je parlais…

LAURENT. J'aurais dû m'en douter, tu criais pas.

BENOIT. D'abord qu'a' y expliquera pas la présence de chacun des objets qu'y a dans sa chambre d'adolescente…

BENJAMIN. Le poster de Freddie Mercury… elle aussi.

MARIE. Sa collection de disques d'ABBA.

BENOIT. Sa poupée Fanfreluche.

N.B. Fanfreluche?
Tout de même pas à l'adolescence.
Il faut lui trouver une raison.

MARIE. Elle a gardé toutes les poupées de sa vie, je pense. *(Marie, Benoit et Benjamin rient.)* Ses douze poupées Barbie en costume de douze pays différents... Des costumes tous plus absurdes les uns que les autres...

Ils rient de plus belle.

BENJAMIN. A' va jouer l'écervelée...

BENOIT. Y me semble de la voir d'ici...

MARIE. A' va passer d'Arkadina à Nina en minaudant...

BENJAMIN. A' va rajeunir de trente ans en moins de deux secondes...

BENOIT. A' va jouer deux personnages en même temps en oubliant qu'est juste là pour faire visiter la maison de son enfance à son nouveau chum.

BENJAMIN. A' va probablement y faire peur.

LAURENT. Pourquoi tu dis ça?

MARIE. C'est toujours ça qui finit par leur faire peur, par les éloigner...

BENJAMIN. La grande actrice.

BENOIT. Mais lui, y est peut-être justement là pour ça... l'actrice. Oubliez pas ça...

Silence.

LAURENT. Mais peut-être qu'il l'aime pour vrai...

Les quatre rient méchamment.

MARIE. Une bonne chance que le cynisme existe... ça aide à passer à travers bien des choses... *(Court silence.)* Pourquoi vous vous êtes installés si loin?

BENOIT. J'voulais fumer une cigarette…

BENJAMIN. Tu fumes pus depuis des années.

BENOIT. Ça m'arrive des fois… J'voulais pas vous enfumer.

LAURENT. Écoutez-le pas, y dit n'importe quoi.

MARIE. J'espère…

LAURENT. Si y s'était remis à fumer, je le saurais.

BENJAMIN. Pourquoi vous vous êtes éloignés de la table, alors ?

BENOIT. Y a pas de raison, Ben, y a pas de raison… C'tait pas pour m'éloigner de toi, paranoïe pas… Je sais pas, j'avais envie d'être dans mon coin, de prendre des forces avant les confrontations qui s'en viennent…

MARIE. Tant qu'à ça… ça risque de barder.

BENOIT. Me soûler, un peu…

BENJAMIN. Moi, aussitôt que je vais sentir la soupe chaude…

LAURENT. T'as pas besoin de nous le dire…

BENJAMIN. T'as pas passé ton enfance dans ce genre de souper là, toi…

BENOIT. C'est vrai que c'est notre spécialité.

LAURENT. J'ai assisté à quelques démonstrations depuis que chuis avec Benoit… J'ai trouvé ça plutôt amusant.

BENJAMIN. Ben pas moi. J'ai jamais trouvé ça amusant.

MARIE. On le sait.

BENJAMIN. Jamais.

BENOIT. Y doivent être rendus à l'étage.

MARIE. J'espère qu'y aura pas droit à l'historique de chacune des chambres… Qu'a' va s'en tenir à la sienne…

BENJAMIN. J'espère surtout qu'y vont laisser la mienne tranquille…

MARIE. Y s'est jamais rien passé d'intéressant dans ta chambre, Ben…

BENJAMIN. T'es ben bête !

MARIE. C'tait une farce, Benjamin.

BENJAMIN. Mais t'es ben bête !

BENOIT. On est devenus plus qu'un cliché de famille dysfonctionnelle, on est devenus un emblème. On peut pas se retrouver à plus que deux sans que la marde pogne…

LAURENT. Vous aimez ça.

BENOIT. Sans doute.

BENJAMIN. Sans doute.

Assez long silence.
Chacun est perdu dans ses pensées.

MARIE, *à Benjamin.* Penses-tu qu'y s'en doute ?

LAURENT. En tout cas, j'ai hâte qu'a' me lâche.

BENOIT ET BENJAMIN. Qui ça ?

LAURENT. Ta sœur ! Y serait temps qu'a' me lâche un peu, non ?

MARIE. Ben, lui…

BENJAMIN. T'es même pus capable de dire son nom…

BENOIT. Elle a toujours été comme ça. Quand a' prend quelqu'un en grippe…

LAURENT. Pourquoi est-ce qu'a' me prendrait en grippe?

MARIE. Ah, pour être capable, chus capable, si tu savais…

LAURENT. J'y ai rien fait!

MARIE. J'me le répète cent fois par jour.

BENOIT. C'est peut-être quequ'chose que t'as dit…

MARIE. J'ai rien que ce nom-là en tête…

BENOIT. … quequ'chose que t'as fait…

MARIE. Je l'ai pas voulu…

BENOIT. … c'est peut-être rien du tout…

MARIE. Le pire, c'est que c'est arrivé tout d'un coup…

LAURENT. Pourquoi a' me tombe dessus aussitôt qu'a' me voit?

MARIE. … je l'ai pas vue venir…

BENJAMIN. Voyons donc!

MARIE. J'te jure que je l'ai pas vue venir!

BENOIT. De toute façon, laisse-la faire…

MARIE. Je l'ai toujours trouvé gentil…

BENOIT. Ça va finir par passer…

MARIE. Je l'ai toujours trouvé beau…

BENJAMIN. Quand Benoit l'a rencontré, t'arrêtais pas de te pâmer…

MARIE. Je le sais… mais c'tait juste…

BENOIT. A' va finir par lancer son dévolu sur quelqu'un d'autre…

MARIE. On a le droit de trouver quelqu'un beau sans que ça porte à conséquence, non?

LAURENT. J'espère…

MARIE. Mais là…

LAURENT. J'espère, parce que là c'est devenu insupportable.

MARIE. T'es le seul à le savoir, jure-moi que tu l'as pas dit à personne…

BENJAMIN. Ben non…

MARIE. Si y fallait que ça se sache…

LAURENT. Insupportable.

MARIE. J'en mourrais, j'pense…

LAURENT. 'Est devenue insupportable.

BENJAMIN. Marie, franchement.

BENOIT. Occupe-toi pas d'elle.

MARIE. C'est vrai!

LAURENT. C'est plutôt difficile…

MARIE. De honte plus que d'autre chose, mais c'est vrai!

LAURENT. A' me grimpe dans' face chaque fois qu'on se voit.

BENJAMIN. T'es pas la première femme qui tombe en amour avec un gars comme lui!

MARIE. Mais c'est le chum de mon frère, Ben! Je le connais depuis des années! Je le considérais comme mon petit frère! Qu'est-ce qui s'est passé? Qu'est-ce qui a pu se passer? C'est-tu parce qu'y a rien d'autre dans ma vie, que j'ai pas rencontré de gars depuis des années? Quoi? Et pourquoi lui? J'aurais même pas de chance si y était libre! Chus-tu folle? Chus tellement malheureuse! Pis pour pas qu'y s'en rende compte, chus agressive avec lui. Je le sais que c'est enfantin, mais je peux pas m'en empêcher! Si j'étais pas agressive avec lui, y s'en rendrait compte, chus sûre! Y le verrait dans mes yeux! J'aime mieux pas y penser. J'aime mieux qu'y m'haïsse, Ben, j'aime mieux qu'y ait peur de moi… Tout va mal! Tout va mal! J'ai décidé de pus jouer parce que j'avais trop le trac, même à la télévision! J'pense que j'étais la seule actrice au monde à avoir le trac en faisant de la télévision! J'me pensais, je sais pas, en sécurité. J'étais débarrassée de mon gros problème, j'étais même à la recherche d'une job, et y fallait…

BENOIT. Évite-la.

BENJAMIN. Évite-le!

MARIE. J'veux pas l'éviter! J'veux le voir. J'veux qu'y soit là! Quand chus bête avec lui, au moins y est là, y est présent, j'peux y dire que je l'aime par en dedans pendant que j'y dis des bêtises! Hé que c'est niaiseux ce que je viens de dire là. Hé que chus niaiseuse!

Elle se lève.

MARIE. Ah, pis laisse donc faire. J'sais pas pourquoi j't'ai parlé de ça…

BENJAMIN. Où est-ce que tu t'en vas…

MARIE. Je le sais pas… Tourner en rond au bord du lac, comme d'habitude…

LAURENT. T'as peut-être raison. J'vais essayer de l'éviter… Mais, je te dis, ça cache quequ'chose.

> N.B. Scène sans doute difficile à jouer.
> Mais bien rythmée,
> dans la presque pénombre,
> ce quatuor, je pense,
> pourrait être envoûtant.
> Près de la musique,
> comme d'habitude.

TROISIÈME COUCHER DE SOLEIL

Cette fois j'ai apporté un parapluie. On n'annonce pas de précipitations, mais on ne sait jamais.

Je suis seul sur la jetée. Les touristes ne sont pas intéressés à venir s'installer devant un ciel uniformément gris où rien d'excitant ne se passera. Quant aux *locals*, ils ne se déplacent que pour les firmaments qui s'annoncent spectaculaires, ils en ont tellement vu. Je suis peut-être le seul à venir ici chaque soir, beau temps, mauvais temps, refaisant le même chemin, mangeant une orange en tous points semblable à celle de la veille et à celle du lendemain. Marche de santé oblige.

J'ai allongé les jambes, j'ai fermé les yeux quelques instants pour savourer l'humidité qui imprègne tout. Le banc de métal était mouillé quand je suis arrivé et j'ai dû l'essuyer avant de m'asseoir. Au cœur de l'odeur du varech, il y a cette note d'iode qui me plaît tant et qui est plus présente par temps humide. Elle camoufle un peu la putréfaction du varech, la rend plus supportable, moins fade, plus piquante. Je prends de grandes respirations, je garde l'air longtemps dans mes poumons comme le font les fumeurs quand ils sont nerveux et qu'il veulent se calmer.

Parce que le trac m'a repris. Et la nervosité est revenue. Devant cette tâche si nouvelle pour moi de réparer un vieux manuscrit inachevé. J'aime corriger, raturer, recommencer une phrase, peaufiner un texte, mais revenir sur une vieille chose abandonnée depuis des années… Non pas que je trouve l'entreprise difficile, ça va plutôt bien, et la qualité de certains dialogues m'étonne, mais l'utilité du projet reste encore vague. J'ai besoin de le faire, oui, ça je le sais, régler ça une fois pour toutes pour ne plus y penser. Par contre, est-ce que ça va servir à quelque chose? La pièce terminée, sera-t-elle plus jouable? Une jambe dans le passé, l'autre dans le présent. Mon Dieu, quelle vilaine comparaison…

Oserai-je jamais présenter cette pièce à un directeur ou une directrice de théâtre en prétendant qu'elle est nouvelle? Sans doute pas. Il ne me restera donc que la satisfaction du devoir accompli. Et un texte de retour à sa place sur la tablette de mes peu nombreux textes inachevés.

Lorsque je rouvre les yeux, le gris du ciel est devenu bleu.

Le soleil est couché.

Des nuages bas se dirigent vers La Havane, d'autres, plus pâles, presque transparents, arrivent du sud, transportés par un vent doux assez fort. Voilà la raison pour laquelle il ne pleut pas : le vent du sud est chaud et il ne rencontre pas pour le moment de résistance. Peut-être que cette nuit la rencontre des deux forces, celle qui vient de l'Alaska, celle qui vient de Cuba, produira un de ces gros orages qui noient tout en quelques minutes et qui disparaissent plus vite qu'ils ne sont venus.

Je me lève, je marche jusqu'au bout de la jetée. Il fait presque noir. Je m'appuie contre la rambarde de bois et je regarde les sternes qui dorment déjà sur les chicots de métal, anciens piliers de la jetée du temps où elle était beaucoup plus longue et à laquelle les crevettiers venaient s'amarrer pour se débarrasser de leur chargement. Du temps, en fait, où les crevettes abondaient dans cette mer désormais presque vide, épuisée par la cupidité.

Un autre beau moment de doute me tombe dessus.

Je regarde l'horizon, en direction de La Havane dont on dit qu'on peut voir d'ici ses lumières par temps clair, ce qui est faux.

Et je doute. Encore une fois. Du bien-fondé de cette entreprise. Et, surtout, de son utilité.

La porte de la maison s'ouvre et Claire sort sur la galerie, suivie de Gisèle et de Christian.

BENJAMIN. Comment se comporte la dinde, toujours?

GISÈLE. Y a de l'espoir. Je pense que c'est le four qui fonctionne mal. Faut le mettre plus haut. Quatre cents au lieu de trois cent soixante-quinze.

BENJAMIN. Une autre chose à faire réparer...

Christian et Gisèle sont descendus rejoindre les autres. Claire est restée sur la galerie.

CHRISTIAN, *à Benoit*. Magnifique maison... les boiseries partout... incroyable.

BENOIT. C'est pas joyeux joyeux, mais c'est vrai que c'est beau.

CHRISTIAN. Y s'en fait pus, des maisons comme celle-là.

BENOIT. C'est toi qui reproches si souvent aux auteurs d'utiliser trop de clichés?

LAURENT. Champagne?

CHRISTIAN. Pourquoi pas.

GISÈLE. Marie est pas là?

BENJAMIN. A' boude au bord du lac.

GISÈLE. Bon, qu'est-ce qu'y a encore?

Benjamin fait un signe de tête en direction de Laurent.

GISÈLE. Encore ça.

BENJAMIN. J'pense qu'on en a pour un bout de temps…

GISÈLE. Pauvre elle…

CHRISTIAN. Quand on pense que vous avez passé toute votre enfance dans cette maison-là…

BENOIT. C'est pas les boiseries qui font une enfance, hein…

CLAIRE. C'était la place favorite de maman, ici, sur la galerie. Vous vous souvenez? Quand on avait fini de manger en famille, les dimanches midi d'été, a' montait ici avec sa serviette de table dont a' se servait comme d'un accessoire, et…

BENOIT. L'incontournable récital…

CLAIRE. C'tait pas un récital, Benoit, c'tait juste pour s'amuser. Ç'aurait pu être du piano, y a des tas de mères qui jouaient du piano à Vaudreuil, le dimanche après-midi. Non, elle, c'était le songe d'Athalie, n'importe quoi de Racine, en fait, des Lorca qu'a' chantait presque, des chansons de *Mère Courage*: «Mon capitaine assez de batailles / Tes fantassins, laisse-les souffler…» C'était tellement beau. Jamais de Molière qu'a' détestait, les si belles scènes à la fin des pièces de Tchekhov, même celle de Phyrse, le vieux serviteur abandonné dans la dernière scène de *La cerisaie*. A' disait toujours qu'a' voulait jouer Phyrse, un jour, quand a' serait vieille… «Y a des actrices qui rêvent de jouer le roi Lear, moi je rêve de jouer le serviteur Phyrse.» Y était toujours à la place d'honneur, son cher Tchekhov…

BENOIT, *en aparté*. Que t'as d'ailleurs eu le front de trahir dernièrement…

GISÈLE. Benoit, franchement.

CLAIRE. Pardon? Qu'est-ce que tu dis?

BENOIT. Rien, rien, continue.

Christian, qui a entendu, fronce les sourcils.
Marie est revenue et s'assoit pour regarder Claire.

CLAIRE. A' faisait des grands gestes, peut-être pour se moquer un peu d'elle-même parce qu'on disait que c'était son seul défaut, qu'a' gesticulait trop… Sa serviette de table virevoltait au bout de son bras, vous vous souvenez. J'pense qu'a' se permettait des fois devant nous des choses que ses metteurs en scène lui défendaient…

BENOIT. Ouan, elle avait la chance d'avoir des metteurs en scène qui la retenaient au lieu de l'encourager à faire une folle d'elle…

Claire descend l'escalier presque en courant et vient se planter devant Benoit.

CLAIRE. Benoit, si t'as quequ'chose à me dire, dis-le donc!

BENOIT. C'est toi qui as quequ'chose à me dire…

CLAIRE, *après une hésitation*. C'était la première fois que tu venais pas me voir en coulisse! Tout le monde était là sauf toi! Pas de message dans ma boîte vocale non plus, rien! Le silence! Comment voulais-tu que je me sente? Tu sais à quel point ton opinion est importante pour moi!

BENOIT. J'étais trop lâche pour te dire en pleine face et tout de suite après la représentation ce que j'avais pensé du spectacle en général et de toi en particulier, et ce que j'avais à te dire était trop violent pour le laisser dans ta boîte vocale.

CLAIRE. Violent?

BENOIT. Oui, Claire, violent!

CLAIRE. Tu m'as trouvée si mauvaise que ça?

BENOIT. T'étais à chier, Claire, à chier!

LAURENT. Benoit…

BENOIT. Laisse-moi parler… surtout que t'as pensé la même chose que moi…

LAURENT. Mais devant tout le monde…

BENOIT. Chus sûr qu'y ont tous pensé la même chose, mais qu'y sont trop trous de cul pour le dire… *(Les autres, mal à l'aise, baissent ou détournent la tête. Benoit montre Christian.)* Sauf lui, évidemment, qui tarissait pas d'éloges comme quelqu'un qui connaît rien, qui a jamais rien vu pis qui se laisse impressionner par le premier fumiste venu…

CHRISTIAN. Je l'ai trouvée extraordinaire, j'ai le droit, non?

BENOIT. Ben non, justement, t'as pas le droit! Mais je te réglerai ton cas plus tard, toi… *(Se tournant vers Claire:)* T'as pas honte? Hein? T'as pas honte?

CLAIRE. Mais honte de quoi, Jésus-Christ!

BENOIT. Tu nous fais tout un *number* sur maman qui nous récitait des extraits de pièces le dimanche après-midi, comment c'était beau, la larme à l'œil pis la main sur le cœur, après avoir fait une caricature d'un de ses plus grands rôles!

CLAIRE. Maman était une grande actrice… mais une actrice d'un autre âge… On peut pus jouer Arkadina comme elle le faisait. Pis j'ai pas fait une caricature d'Arkadina! C'était une vision… moderne du personnage!

BENOIT. Fais-moi pas rire! T'as fait pire que d'en faire une caricature! En fait, je sais pas si y a un mot pour qualifier ce que t'as fait d'elle avec l'aide de ton prétentieux qui pense tout inventer alors qu'y tue tout!

LAURENT. Benoit…

BENOIT. C'était tellement laid, c'était tellement en dehors de toute logique, c'était tellement n'importe quoi, n'importe quoi, Claire, qu'y m'arrivait de regarder à côté de la scène tellement j'étais gêné! Et viens pas me dire que tu penses vraiment que cette Arkadina-là était une Arkadina «pour notre époque», le jeu «moderne» d'une grande actrice «moderne»! Tu jouais pas comme ça y a deux mois! Tu viens de découvrir la modernité, c'est ça?

LAURENT. Benoit…

BENOIT. De toute façon, c'était l'interprétation hystérique d'une pauvre conne sous l'emprise d'un fou furieux qui se prend pour un gourou du théâtre!

Une actrice vieillissante qui se garroche n'importe où pour avoir l'air « moderne », justement !

LAURENT. Benoit…

BENOIT. Ton gourou, là, y gesticulait pis y faisait des grimaces en avant de toi, Claire ! Y s'est mis entre toi et le public pour faire ses simagrées ! C'était pas toi qu'on voyait, c'était lui ! « Regardez-moi ! Regardez comme je suis brillant ! »

LAURENT. Fais attention…

BENOIT. Je sais pas si y a manqué d'attention de la part de ses parents quand y était enfant, mais j'te dis qu'y s'est repris depuis !

CLAIRE. T'es ridicule, Benoit…

BENOIT. Pas une seule seconde pendant ce spectacle-là on pouvait penser à Tchekhov ! Pas une seule seconde ! Ni aux acteurs qu'on avait devant nous autres ! On pensait juste à lui, on voyait rien que lui pis ses idées de fou à lui ! On avait-tu vraiment besoin que tu frenches ton fils à pleine bouche pour comprendre votre relation ambiguë ? On avait-tu vraiment besoin que Nina nous fasse une danse de Saint-Guy avant d'aller se tuer ? Y vous a-tu hypnotisés toute la gang, coudonc ? Vous voyiez pas ce qu'y faisait de vous autres ? Y vous manquait juste des nez de clown !

CLAIRE. Tu sais pas ce que tu dis…

BENOIT. Comment ça, je sais pas ce que je dis ! Demande aux autres ! Demande à Laurent ! Demande ce qu'on dit de toi dans le milieu depuis la première !

CLAIRE. J'me sacre de ce qu'on dit de moi dans le milieu depuis la première, chus très heureuse de mon travail, chus très fière de ce spectacle-là. Et mon gourou, comme tu l'appelles, m'a fait découvrir chez Arkadina des choses que j'avais jamais vues!

BENOIT. Ben pourquoi tu nous les as pas montrées, au lieu de les enterrer en dessous de grimaces pis de tics! Moderne? Tu jouais comme dans les films muets! T'étais pas moderne, tu jouais comme y a cent ans! Le corps raide, les yeux grand ouverts, les gestes saccadés... Gloria Swanson! T'avais l'air de Gloria Swanson. «*All right Mr. DeMille. I'm ready for my close up.*»

BENJAMIN. Benoit, tu vas un peu loin, là...

Benoit s'arrête brusquement.

BENOIT. C'est vrai que je vais un peu loin...

BENJAMIN. Calme-toi un peu...

BENOIT. Excuse-moi, Claire...

CLAIRE. Quand tu pars, on sait pus où tu vas t'arrêter...

BENOIT, *après un moment*. En fait, c'est pas vrai que j'vais trop loin... J'pense tout ce que je viens de dire... J'aurais juste pas dû le dire sur ce ton-là...

Claire s'approche de lui, pose son front sur son épaule.

CLAIRE. Je le sais que tu penses tout ce que tu viens de dire... Mais t'aurais pu venir me le dire en coulisse... sur un autre ton. Et juste à moi.

BENOIT. Ben non, justement. J'tais trop enragé. Contre toi autant que contre lui. De toute façon, on fait pas ça en coulisse, tu le sais très bien...

CLAIRE. Tu savais que je m'inquiéterais de pas te voir là…

BENOIT. C'tait pas le temps d'aller te faire une scène pendant que le tout-nobody de Montréal faisait semblant de t'avoir trouvée divine!

N.B. Il manque quelque chose…

BENOIT. J'avais pas envie de voir tout ce beau monde là jouer les pâmés alors qu'y venaient d'assister à l'assassinat d'un grand texte! Les becs, les cris de poules égorgées, la coulisse surchauffée, le faux champagne…

CLAIRE. T'es tellement réactionnaire, des fois, Benoit…

BENOIT. J'te dis que tes trêves sont courtes, toi!

CLAIRE. On en parlait justement, avec Christian, dans la voiture. Hein, Christian?

CHRISTIAN. J'aime mieux pas me mêler de ça, moi…

BENOIT. Tu fais mieux de pas t'en mêler, aussi…

CHRISTIAN. J'me demandais si j'avais raison de venir ici, quand Claire a insisté pour que je vienne. J'me rends compte que j'avais pas tort…

BENOIT. En effet…

CHRISTIAN. J'pensais… Je sais pas, j'pensais qu'on pourrait se parler, communiquer… Après tout, on travaille dans le même domaine…

BENOIT. Mais pas pour les mêmes raisons. On fréquente pas le théâtre pour les mêmes raisons, Christian.

CHRISTIAN. J'pense que je ferais mieux de me retirer… Chus de trop, n'importe qui serait de trop dans une réunion de famille comme celle-là…

CLAIRE. Toi, tu restes ici! De toute façon, j'vais avoir besoin d'un lift, après le souper…

LAURENT, *à Christian.* Ça prend des années… des années avant de se sentir accepté…

BENJAMIN. Oui, mais la différence, c'est qu'y durera certainement pas des années, lui…

CHRISTIAN. Pourquoi tu dis ça?

BENJAMIN. Sais-tu seulement pourquoi a' s'intéresse à toi, tout d'un coup, comme ça?

CHRISTIAN. Qui te dit que c'est tout d'un coup?

BENJAMIN. Avec elle, c'est toujours tout d'un coup.

MARIE, *à Christian.* Ça fait que défais pas tes valises trop vite…

Pendant ce temps, Claire est allée chercher deux chaises à la table, qu'elle a posées l'une à côté de l'autre, face au lac.

CLAIRE. Viens t'asseoir…

BENOIT. Si c'est pour te justifier…

CLAIRE. Ben sûr que c'est pour me justifier. Penses-tu que j'ai tout fait ça sans raison?

BENOIT. C'est pour te démarquer de notre mère, c'est assez évident…

CLAIRE. Pas juste pour ça… *(Ils s'assoient.)* C'est vrai que notre mère était une grande Arkadina. Tout le monde le dit. Une Arkadina légendaire. Elle l'a même prouvé trois fois : la première fois quand elle était trop jeune et qu'elle avait à peu près le même âge que l'acteur qui jouait son fils, la deuxième fois quand elle a eu l'âge, et là, elle était vraiment fantastique, j'en garde un souvenir impérissable, la troisième fois quand elle a été trop vieille et que personne a osé le lui dire, même pas nous autres.

BENOIT. Elle était quand même fantastique.

CLAIRE. Mais c'était ce que les Américains appellent une *vanity production*. Tout tournait autour d'elle, la grande star, elle était entourée de n'importe quoi, des acteurs de deuxième ordre pis des décors *cheap*… On se serait cru dans un théâtre privé à Paris.

BENOIT. C'est un peu vrai…

CLAIRE. C'est vrai! Mais c'est pas ça, l'important… Écoute… On reviendra pas là-dessus, mais t'es d'accord qu'on peut pus jouer Tchekhov de cette façon-là…

BENOIT. Mais c'est pas une raison pour…

CLAIRE. Tu l'as dit, ça, tout à l'heure, Benoit. C'est pas de ça que je parle. Ou plutôt, oui, c'est exactement de ça que je parle… Écoute… Yannick, et j'aimerais ça qu't'arrêtes de l'appeler mon gourou…

> N.B. Les sept dernières répliques
> sont peut-être de trop.
> Couper jusqu'à «Yannick et j'aimerais ça»?
> Je verrai à la relecture…

BENOIT. C'est ton gourou…

CLAIRE. Yannick m'a sauvé la vie, Benoit.

BENOIT. Claire, franchement…

CLAIRE. Je le savais, comment jouer Arkadina. Moi aussi, je l'ai jouée quand j'étais trop jeune, j'ai reconnu mes erreurs, j'allais… je suppose que j'allais emboîter le pas à notre mère, l'imiter, donner la version qu'on pense être la bonne de ce personnage-là quand, je vais le dire avant que tu le dises toi-même, Yannick est arrivé.

BENOIT. Pis y t'a ouvert les yeux…

CLAIRE. Ben oui, Benoit, y m'a ouvert les yeux.

GISÈLE. On en a assez entendu parler…

CHRISTIAN. Pour ça…

MARIE. Tu vois, même lui en a souffert…

CHRISTIAN. J'ai pas dit que j'en avais souffert…

BENJAMIN. On aurait dit qu'a' transportait son maudit Yannick avec elle…

GISÈLE. A' parlait rien que de lui…

BENJAMIN. Un gourou, t'as raison, Benoit.…

MARIE. J'pensais jamais dire ça d'elle un jour, mais c'est vrai. A' nous donnait l'impression d'avoir trouvé un maître à penser qui pouvait faire d'elle ce qu'y voulait… Le Charles Manson du théâtre…

CLAIRE. Charles Manson était un assassin! *(Les autres, sauf Christian, la regardent intensément.)* Vous avez juste mal interprété ce qu'y m'a apporté. Chuis une bonne actrice, chuis même une maudite bonne actrice, je le sais, je l'ai prouvé souvent, j'ai été heureuse sur la scène, mais… quand j'me suis retrouvée encore une fois devant le texte de *La mouette*, aussi génial soit-il, j'me suis dit : j'vas-tu encore perpétuer la même mère envahissante, même si c'est ça qu'elle est, même si c'est ça qui est dans le texte, j'vas-tu me promener dans des belles robes, avec un air fendant de grande actrice en essayant de toucher le public quand va arriver la fameuse scène avec son fils, j'vas-tu donner une belle interprétation bien propre, bien léchée, celle qu'on attend de moi, la fille de la plus grande Arkadina de l'histoire du Québec ? Une autre *Mouette* que de toute façon le public va trouver plate parce qu'au fond Tchekhov l'a jamais vraiment intéressé ?

BENOIT. Ça, propre pis léchée, on peut pas dire qu'elle l'était, ton Arkadina…

CLAIRE. Mais a' m'a donné beaucoup plus de fil à retordre que si j'm'étais contentée de jouer celle qu'on attendait de moi, ce que je savais déjà d'elle… Parce qu'elle était moins évidente, plus complexe…

BENOIT. J'comprends, on savait pas qui c'était ! Pis t'étais pas obligée, tu sais, de rejouer *La mouette.*

CLAIRE. Laisse-moi parler. La première chose que Yannick nous a dite, c'est de mettre de côté le Tchekhov qu'on connaissait…

BENOIT. Ben oui, parce qu'y a rien que lui qui le comprend, je suppose !

CLAIRE. Benoit ! S'il te plaît ! Y en a cherché un autre, on a tous cherché un autre Tchekhov, caché sous les répliques… C'est difficile à expliquer… Y nous a parlé des handicaps des personnages, y nous a dit de fouiller leurs failles…

MARIE. N'importe quel bon metteur en scène peut faire ça.

GISÈLE. C'est sa job. Même les mauvais peuvent faire ça! Tu le défends mal, Claire, ton gourou millénial…

MARIE. Sais-tu comment on l'appelait, ici?

BENJAMIN. Ton Eurotrash, même si y est venu au monde sur la rue Ontario, à côté du Théâtre Prospero!

CLAIRE. Je le sais que je le défends mal… C'est parce que j'ai une gang de sceptiques bouchés devant moi… Vous avez décidé que vous alliez rien croire de tout ce que j'vais dire, que vous alliez tout trouver ridicule… vous êtes d'ailleurs en train de le prouver…

CHRISTIAN, *tout bas*. Laissez-la donc parler…

BENJAMIN, *à Christian*. Elle a dû t'expliquer ça de long en large pendant des semaines… Quand a' joue un rôle, a' parle juste de ça!

MARIE. Ça a dû être beau!

GISÈLE. T'es pas écœuré?

CHRISTIAN. Vous, c'est la première fois qu'a' vous en parle, donnez-y une chance!

CLAIRE. J'ai travaillé avec les meilleurs metteurs en scène, des gens intelligents, et sensibles, avec des idées formidables, j'ai adoré leur façon de diriger, mais là, tout à coup, j'avais quelqu'un de complètement différent de tout ce que j'avais connu. Y pensait comme personne d'autre, y voyait pas le théâtre comme les autres… J'avais l'impression de respirer de l'air frais, de me sentir libre dans le texte, de pouvoir me promener entre les répliques, d'avoir le droit de me moquer, si j'en avais envie, d'un des plus grands auteurs de théâtre que le monde a jamais connu! Oui, j'me suis moquée de Tchekhov, de ses tics, de ses personnages larmoyants, parce que ça m'aidait à les comprendre, quitte à revenir à l'original, après.

BENOIT. Justement, t'as pas ramené l'original, après! Pis c'est tes moqueries que t'as amenées sur scène. Tu le sais peut-être pas, mais c'est ça pareil.

CLAIRE. Pas du tout! Y avait pus aucune moquerie quand chuis arrivée sur scène! J'avais tout évacué ça!

BENOIT. Ça paraissait pas beaucoup! Avec une patch sur l'œil, une patte plus courte que l'autre, pis une canne d'aveugle?

CLAIRE. Elle avait pas une patte plus courte que l'autre! Et c'était pas une canne d'aveugle! On avait décidé qu'a' s'était blessée pendant une représentation…

BENOIT. Pourquoi?

CLAIRE. Comment, pourquoi?

BENOIT. Pourquoi a' s'était blessée pendant une représentation…

CLAIRE. Parce que ça illustrait un côté d'elle qu'on connaissait pas, une… une vulnérabilité…

BENOIT. Mais on n'a pas besoin que tu nous la mimes, sa vulnérabilité! C'est lui qui t'a mis ça dans la tête. J'te l'ai dit, tout à l'heure, quand on te regardait boiter d'un bout à l'autre de la scène avec ta canne qui avait l'air d'une canne d'aveugle, on pensait pas à toi, à ton interprétation, on pensait juste à l'imbécile qui t'avait imposé ça! Y était là, à côté de toi! Y était même devant toi, y te cachait! Y t'a ouvert les yeux pis tu t'es même pas rendu compte qu'y se mettait entre toi et le public? Que c'était lui la vedette de la soirée?

C'est là que je me suis arrêté.

Je savais tout ce qui allait suivre, j'avais tout préparé comme d'habitude, mais…

Je me souviens de deux choses. La première, c'est que j'ai eu peur que les acteurs pensent que je ne les aimais pas. Que je les critiquais ou que je me moquais d'eux alors que ce n'était pas du tout mon intention. Ensuite…

Ensuite, ce qui allait venir me faisait peur. Le vieillissement, la peur d'être dépassé, la conscience, la conviction d'être dépassé et d'avoir à prendre une décision déchirante, humiliante. De la part de mes personnages et, par extension, de ma part à moi aussi. De faire de Claire celle qui se débat et de Benoit celui qui est au bord d'abdiquer. Le mot le plus terrible qui puisse venir à l'esprit d'un artiste : abdiquer.

Est-ce que j'ai moins peur maintenant ? Non, bien sûr. Nous sommes plus tard, je suis encore plus vieux, c'est pire.

Est-ce que cette fois je me sens la force d'affronter tout ça en écriture ?

C'est ce que je me souhaite, c'est la raison principale pour laquelle j'essaie depuis quelques jours de réhabiliter cette pièce dont je gardais un mauvais souvenir et qui me surprend. Parce qu'en fait, moi aussi, j'ai essayé de me renouveler dans cet opus, d'écrire quelque chose de différent, de nouveau… pour moi.

En imitant un vieux maître, ben oui…

Me renouveler dans le passé parce que si j'aime la plupart des spectacles que je vois aujourd'hui, produits par des jeunes, ceux qui montent, ceux qui vont me remplacer, je me sens incapable d'en faire autant. De toute façon, à quoi ça servirait d'essayer de leur ressembler ? Ce qui leur appartient leur appartient et ce qui est à moi…

Écrivons la phrase, écrivons-la : je me sens dépassé. Point à la ligne.

QUATRIÈME COUCHER DE SOLEIL

On a eu droit à tout aujourd'hui.

Le ciel dans toutes ses possibilités d'orgie de couleurs.

Le plus beau a commencé après que le soleil s'est couché, aussitôt le point vert – il y en a eu un, ce soir, et il a duré une grosse seconde – disparu, noyé dans le bleu du golfe du Mexique.

Comme s'ils avaient vu une publicité quelque part rue Duval promettant un spectacle gratuit exceptionnel, les touristes se sont présentés nombreux sur la jetée. Le téléphone ou l'appareil photographique à la main, un air d'anticipation sur le visage rosi, embelli, adouci par la lumière du soleil couchant. Et plus calmes, plus respectueux que d'habitude. Il faut dire qu'il y avait beaucoup d'Asiatiques, recueillis, sérieux et qui, pour une fois, oubliaient leur attirail de photographie. Et leur ébahissement était beau à voir.

Les nuages, ceux plus près de l'horizon, ont pris feu tout d'un coup. De l'or en dessous, du rouge éclatant en surface, apparemment immobiles alors qu'il y a eu du vent toute la journée et qu'en fait ils devaient avancer assez vite. Le reste du ciel est passé du jaune au rouge, du rouge au mauve avant que le bleu de la nuit l'envahisse avec une étonnante rapidité et que les étoiles apparaissent en belles grappes, d'abord au-dessus de la jetée, puis se coulant vers l'horizon à mesure qu'il s'assombrissait.

Le contraire de ce que je ressentais, en fait, qui était plutôt glauque.

Plus tard, devant ma Margarita, j'ai décidé de prendre quelques jours de congé avant de me lancer dans les dernières scènes de la pièce. Par pure lâcheté ? Sans doute.

Est-ce l'âge, toujours est-il que là où autrefois j'aurais foncé tête baissée vers ce qui me faisait peur et me serais lancé dans l'écriture sans trop me poser de questions, téméraire sans le savoir, ce matin, après ma danse autour de l'ordinateur – tout de même exécutée, au cas où –, je me suis retrouvé dans la piscine à flotter sur le dos en contemplant le ciel vide. La peur au ventre. Jamais je n'ai eu peur d'affronter la fin d'une pièce ou d'un roman. Pourquoi maintenant ?

Peut-être la crainte de rester trop collé à ma propre réalité, à mes propres problèmes, que tout soit trop évident ? J'ai toujours essayé que mes personnages ne soient pas des porte-parole de l'auteur, que personne ne puisse dire : ah, c'est lui, il parle de lui-même. Surtout au théâtre où, je l'ai répété toute ma vie, on ne devrait jamais sentir la présence de l'auteur sur la scène. Sauf, bien sûr, quand je suis allé piger directement dans mes souvenirs d'enfance…

Cette fois, cependant…

Je sais que je devrais passer outre ces problèmes et me garrocher dans le travail, écrire ce que j'ai à dire, quitte à tout changer plus tard. Ou à tout mettre à la poubelle. Au moins, j'aurais dit ce que j'avais à dire. Mais.

Toujours est-il que me revoilà devant ce que j'ai toujours appelé mon écran catholique – c'est la première fois depuis longtemps que je travaille la nuit –, le ventre noué, le cœur étréci comme un oiseau apeuré, les doigts pliés au-dessus de mon clavier. Un pianiste qui a peur d'attaquer un vertigineux impromptu de Chopin.

Je sais que je radote. Je suppose que j'en ai besoin.

N.B. Tenez ben vos tuques, on repart.

CLAIRE. Yannick adore les acteurs!

BENOIT. Ben oui, jusqu'à ce qu'y vous donne un beau verre de Kool-Aid à boire, à la fin du spectacle, et qu'y vienne saluer tu-seul.

CLAIRE. Benoit!

Court silence.

BENOIT. N'empêche que si y le pouvait…

CLAIRE. Le principal, au fond, Benoit, c'est que je sois heureuse dans ce que je fais.

BENOIT. Heureuse? *(Il aperçoit Christian dont il avait semblé oublier la présence.)* J'espère que tu sais, toi, que tout ce que tu vas entendre ici, ce soir, est *off the record*…

CHRISTIAN. J'sais vivre, quand même…

BENOIT. Pas sûr de ça, moi… J'sais pas si tu vas être capable d'endiguer ta méchanceté naturelle… *(Christian hausse les épaules. Claire lui fait signe de ne rien répondre. Tous les autres sont immobiles comme s'ils s'attendaient à un évènement important.)* Je sais pourquoi tu fais tout ça, Claire. C'est tout simple.

C'est normal, excepté que t'es allée un peu loin. On en a souvent parlé ensemble. Moi, j'appelle ça un lifting artistique. Au lieu d'aller te faire remonter le visage, tu t'es payé une cure de jeunesse avec un jeune metteur en scène à la mode pour qui tout ce qui est venu avant lui est à jeter à la poubelle, qui t'a sans doute fait croire que t'étais merveilleuse d'oser faire ce que tu faisais et qui t'a manipulée. Une artiste qui est prête à tout pour avoir l'air jeune, c'est ça que t'es. On n'est plus jeune personne dans la famille, Claire, on le prend pas, c'est normal, et on prend des moyens pour le faire oublier, pour l'oublier nous autres mêmes. On a vu ça cent fois, ça prend pas toujours la même forme, et c'est pas toujours heureux… Chez nous, c'est l'exercice pour Gisèle, le yoga pour Benjamin, les massages pour Marie. Qui la détendent pas, d'ailleurs. Mais ça sert à rien, Claire, de vouloir avoir l'air jeune quand on l'est plus…

CLAIRE. Abdiquer? Non, merci.

BENOIT. Tu vois, tu nies rien.

CLAIRE. J'veux pas avoir l'air jeune, Benoit, chuis curieuse! J'voulais aller voir ce que les autres, les plus jeunes, c'est vrai, ce que les autres faisaient, pas juste notre petite gang avec qui on travaille depuis toujours, avec qui on a fait des choses passionnantes, mais qu'on connaît par cœur. Du nouveau, Benoit, du nouveau! Pas juste notre petit groupe incestueux…

BENOIT, *la coupant*. Que tu trouves trop vieux pour toi.

CLAIRE. De mentalité, oui. Nous autres aussi on a pensé qu'on avait tout inventé! Pis on s'est fait dire la même chose par ceux qui étaient là avant nous! C'est de bonne guerre! Mais on n'est pas obligés d'étouffer entre nous en s'enfermant dans nos petites manies et nos petites habitudes! J'voulais essayer quelque chose de nouveau, combien de fois y faut que je te le répète! Pas nécessairement de jeune, mais de nouveau, Jésus-Christ!

BENOIT. Ben t'as été servie. Une Arkadina trop vieille au milieu d'un jardin d'enfants. Arkadina a pas ton âge, Claire, t'es tombée dans le même panneau que maman. Si son fils a vingt-cinq ans, a'l' a au plus quarante-cinq, pas ton âge! T'avais l'air de la mère de tous les autres acteurs, Claire, sur c'te scène-là, pas juste de Konstantin. Et si t'appelles nouveau les grimaces pis les contorsions que ton Yannick t'a demandé de faire, on n'a certainement pas la même notion du mot «nouveau»! Y a aucune raison pour laquelle Arkadina aurait la danse de Saint-Guy!

CLAIRE. Laisse donc Arkadina tranquille!

BENOIT. Ton Arkadina.

CLAIRE. À t'entendre parler, tout à l'heure, c'était Nina qui avait la danse de Saint-Guy… Et ça sert à rien que je te réponde là-dessus, on tournerait en rond jusqu'à ce que la dinde tombe en cendres. C'est du théâtre expérimental, Benoit, on essaye des affaires!

BENOIT. Ben arrêtez d'en parler comme si c'était la seule façon de faire les choses! Comme si vous possédiez la vérité!

CLAIRE. Mais on l'a fait nous autres aussi, Benoit! Rappelle-toi à quel point on était prétentieux, nous autres aussi! Toi, surtout, le dramaturge!

Benoit ne trouve rien à répondre.

CLAIRE. Et tu sais quoi? J'ai parlé d'abdiquer tout à l'heure… J'voulais pas abdiquer comme toi, comme toi, Benoit, arrêter de travailler parce que la critique a pas aimé ta dernière pièce…

BENOIT. Aïe, là tu fesses bas!

CLAIRE. Qu'est-ce que tu penses que tu fais depuis tout à l'heure, toi? Y a rien que toi qui as le droit de fesser bas? Et veux-tu savoir une chose? Si j'ai accepté de jouer avec Yannick parce que je voulais avoir l'air jeune, *good for me*! Au moins chus pas restée assise sur mon cul à ronger mon frein! J'ai ESSAYÉ de faire quelque chose! Pis si vous m'avez trouvée mauvaise, attendez de voir c'qu'on va faire avec Clytemnestre l'année prochaine!

N.B. À mon grand étonnement
je n'ai eu aucune difficulté à retrouver
mes personnages
après toutes ces années.
Je me suis glissé en eux
avec grande facilité,
je me suis identifié à eux
comme si je les avais quittés la veille.
Il faut cependant
que je fasse attention :
garder un équilibre dans la discussion
entre Claire et Benoit,
puis en installer un dans celle entre Benoit et
Christian qui va suivre.
Leur donner tour à tour tort et raison,
comme j'ai l'habitude de le faire.
Jusqu'ici, ça va,

Claire et Benoit marquent
chacun des points,
mais il faut que ça continue.

BENOIT, *après un silence.* Tu penses quand même pas que j'ai pas essayé? Que j'me suis tassé dans un coin en pleurnichant? Quand tu te fais dire par un critique que ton avenir est derrière toi, comment tu réagis, hein, comment tu réagis? Quand t'as fini de pleurnicher, justement, hein, qu'est-ce que tu fais? Ben tu le crois! Tu t'installes devant ton miroir, tu te regardes, pis après t'être trouvé vieilli, de t'avoir déniché de nouvelles rides, tu te dis qu'il a peut-être raison, que t'es là depuis trop longtemps, que tes grandes années sont passées, que t'as peut-être été utile à quelque chose à un moment donné, mais que ce moment-là est passé et... Et quoi? Un lifting théâtral? Imiter les jeunes pour avoir l'air jeune, te «renouveler», donner une canne d'aveugle à ton Arkadina pis renier tout ce que t'as fait? Qu'est-ce que vous allez faire de Clytemnestre, au fait? Une vampire avec une grande cape et des dents pointues? Vous allez nous l'illustrer comme si on n'était pas capables de comprendre la pièce, au lieu de la laisser s'exprimer par elle-même?

CLAIRE. J'ai rien renié du tout!

BENOIT. Oui! En une seule soirée, t'as mis une barre sur tout ce que t'avais fait avant et t'as bafoué un des plus grands dramaturges de tous les temps!

LAURENT. Benoit, s'il te plaît, tu dépasses ta pensée, là...

BENOIT. Quand des acteurs sont mauvais sans le vouloir ou parce qu'ils ont pas de talent, tu peux toujours leur pardonner, mais quand ils sont mauvais par choix…

CLAIRE, *l'interrompant.* C'est pas parce que j'ai essayé quelque chose que t'as pas aimé que j'ai été mauvaise ! J'ai fait un choix qui était bon pour moi !

BENOIT. Ben moi aussi j'en ai fait un ! J'ai choisi de me taire ! Aussi douloureux que ce soit, j'ai choisi de me taire ! J'ai pas abdiqué, j'ai compris ! Que. Que… je sais pas, qu'y valait mieux attendre que ça revienne, le goût d'écrire, la certitude d'avoir quelque chose à dire, plutôt que me débattre en faisant des niaiseries pour avoir l'air jeune, pour avoir l'air cool ! Un vieux cool, y a-tu quequ'chose de plus triste qu'un vieux cool ?

> N.B. Après l'avoir relu, j'ai décidé
> de rallonger ce monologue
> parce que Benoit n'a pas tout dit
> de ce qu'il pensait des jeunes artistes.
> Je voudrais qu'on sente encore plus
> son désarroi devant leur talent
> et ce qu'il croit être une menace
> pour lui…

BENOIT. Surtout… surtout… Comment dire ça… Je sais pas comment réagir devant le talent des milléniaux ! C'est ça, le pire ! J'aime la plupart du temps ce qu'y font – sauf les mégalos comme ton Yannick, évidemment – et ça me fait peur ! Parce que ça me dépasse, ça dépasse ce que j'sais faire ! Des auteurs qui sont capables de me damer le pion avec des choses auxquelles j'aurais jamais pensé ! Et je veux pas, je veux pas essayer de faire comme eux pour me faire accepter d'eux! Faire des niaiseries pour les imiter, *pour avoir l'air de faire partie de leur gang!*

CLAIRE. En tout cas, si c'est des niaiseries que je fais, j'aime mieux ça que d'errer en somnambule, la peur au ventre, comme tu le fais depuis quatre ans! J'aime mieux agir que de m'apitoyer sur moi-même.

BENOIT. Ah, ah, tu l'avoues que c'est des niaiseries!

CLAIRE. J'ai dit «si»! Fais pas comme quand on avait dix ans, Benoit, et que tu contredisais déjà tout ce que je disais!

BENOIT. J'te contredis pas pour le plaisir de te contredire, Claire. Je comprends que t'aies le goût de travailler, t'es une grande actrice, tu peux encore faire des choses fabuleuses, mais cherche-toi un metteur en scène qui pense à autre chose qu'à démolir chaque œuvre qu'y décide de monter…

CLAIRE. Y les démolit pas, y les pense autrement…

BENOIT. Ben, retourne vers quelqu'un qui pense comme toi…

CLAIRE. J'ai justement trouvé quelqu'un qui pense comme moi.

BENOIT. Tu t'es laissé embobiner par quelqu'un qui te fait croire que tu penses comme lui, nuance…

CLAIRE. On tourne en rond, Benoit, comme d'habitude, et on arrivera pas à s'entendre… comme d'habitude.

BENOIT. Ben, c'est ça. Prépare-toi à te déguiser en Draculette pour jouer Clytemnestre, et laisse-moi dans mon mutisme.

CLAIRE. J'veux que tu saches que j'vais être la première à me réjouir quand tu vas te remettre à écrire, Benoit.

BENOIT. J'veux que tu saches que j'vais être le premier à me réjouir quand tu vas remonter sur la scène pour jouer Tchekhov comme du monde, Claire.

CLAIRE. Comme ton monde.

BENOIT. Comme notre monde.

N.B. Bloqué.
Déjà.
Je ne sais pas comment enchaîner
la scène qui vient
avec celle qui se termine.
Je ne sais pas non plus comment
me débarrasser des autres personnages
pour laisser Claire, Benoit et
Christian seuls
afin de terminer la pièce.
Le froid serait la solution la plus facile.
Parce qu'on ne mange pas dehors
le soir tombé en plein mois d'octobre.
Je l'avais espéré, au début,
mais je me rends compte que
c'est impossible,
même si on suppose
que c'est l'été des Indiens.
Allons-y donc pour le froid
et faisons de la dernière scène une scène intime
plutôt que le *melting pot*
que j'avais d'abord prévu.

Après un silence qui se prolonge un peu trop.

BENJAMIN. Comme aurait dit maman, le cru commence à tomber.

MARIE, *en regardant la table.* C'tait pas une bonne idée pantoute, en fin de compte. T'avais raison, Claire.

CLAIRE. Ça serait trop facile de te dire que je te l'avais dit…

BENJAMIN. On ramassera tout ça demain…

GISÈLE. Au lieu d'être dévastée, a' va rester intacte. Comme si le repas d'Action de grâces avait pas eu lieu… À moins que les *raccoons* pensent que c'est plein de beaux restes…

MARIE. J'ai bien peur que les beaux restes, ce soit nous autres…

GISÈLE, *mi-sourire.* Parle pour toi…

LAURENT. J'vais vous aider à monter celle de la salle à manger. T'as pas besoin de moi, Benoit?

BENOIT, *sortant de sa torpeur.* Hein? Non.

CHRISTIAN. J'pourrais rentrer, moi aussi. Si vous avez encore des choses à vous dire.

BENOIT. Non, non, c'est assez pour ce soir. Et y faudrait ben qu'on finisse par se parler tous les deux.

CHRISTIAN. Si tu y tiens.

BENOIT. Pourquoi? Tu y tiens pas, toi?

CHRISTIAN. Parler d'une critique d'il y a quatre ans? Non, j'y tiens pas.

BENOIT. Qui te dit que c'est de ça que je veux parler?

CHRISTIAN. C'est de ça que t'as parlé toute la soirée… Chuis capable de comprendre le sous-texte, moi aussi…

BENOIT. Tu lis dans mes pensées, maintenant? Non seulement tu comprends plus que moi ce que j'écris, mais en plus tu lis dans mes pensées!

CLAIRE. J'me sens de trop, j'vais rentrer avec les autres.

BENOIT. Ben non, reste. Franchement… *(À Christian :)* C'est drôle, en te voyant arriver, tout à l'heure, j'avais juste envie de te régler ton cas, et là…

CHRISTIAN. Faut dire que deux dans la même soirée c'est beaucoup pour un seul homme…

BENOIT. Ah, j'm'étais préparé pour les deux, c'est pas ça… Mais là… j'sais pas trop, on dirait que j'ai pus le goût. Parce que ça servirait à rien.

CHRISTIAN. Comment ça, ça servirait à rien?

BENOIT. Parce que vous écoutez jamais. Et que vous avez toujours le dernier mot.

CHRISTIAN. J'ai entendu cet argument-là mille fois…

BENOIT. Et ceux qui l'utilisaient ont eu raison mille fois…

CHRISTIAN. Vous êtes toujours sur la défensive…

BENOIT. Ben certain qu'on est sur la défensive! Toi aussi, tu l'es sur la défensive, là, en ce moment même! T'es prêt à défendre un papier que t'as écrit y a quatre ans si jamais on aborde le sujet! Mais sais-tu où se situe la différence entre nous deux? C'est que toi, t'as le droit d'être sur la défensive, mais pas moi! Toi, t'as le droit de défendre ce que tu écris quand on t'attaque, mais pas moi! Si je le fais, si j'ose le faire, chus juste un enfant gâté qui est ben content quand on fait son éloge mais qui réagit comme un bébé quand on l'attaque! Sais-tu, des fois j'ai l'impression qu'y a juste deux catégories d'êtres humains qui ont pas de droit de réplique : les femmes battues et les artistes. Si une femme battue ose réagir, a' va être encore plus la victime de son mari, et si un artiste ose réagir à une critique, c'est un véritable crime de lèse-majesté et vous montez sur vos grands chevaux! Ben nous autres on a pas droit à ça, les grands chevaux! Vous passez votre vie à nous reprocher d'être sur la défensive, tu viens juste de le faire, d'ailleurs, et vous êtes pire que nous autres! Personne est plus sensible à la critique que les critiques eux-mêmes, as-tu déjà pensé à ça? Je répète et je souligne en rouge : personne est plus sensible à la critique que les critiques eux-mêmes! Et si jamais tu en trouves un assez zen pour accepter qu'on lui réponde, pour discuter avec nous, tu me le diras pis je te souhaiterai désormais la bienvenue dans nos soupers de l'Action de grâces. Si tu dures jusqu'à octobre de l'année prochaine, évidemment…

CHRISTIAN. On sait tous à quel point t'haïs la critique, mais là, j'avoue que ça dépasse tout.

BENOIT. Quoi? J'ai jamais parlé contre la critique…

CLAIRE. Benoit!

BENOIT. C'est vrai! Quand est-ce que vous m'avez entendu parler contre la critique! Au contraire! Je trouve que ça a un côté admirable que de consacrer sa vie à analyser ce que les autres font! À analyser, à décortiquer, à replacer tout ça dans son contexte… celui de l'auteur, celui de sa culture… Ça en prend, justement, de la culture, pis ça peut, ça doit être éclairant. Je l'ai dit très souvent. C'est un très noble métier. *(À Christian :)* Vous autres aussi, vous retenez juste les choses négatives qu'on peut dire à votre sujet… Non, c'est pas la critique que je prends pas, c'est *certains* critiques.

CHRISTIAN. Viens pas me dire que tu me trouvais « admirable » quand t'as lu ma critique de ta dernière pièce…

BENOIT. Justement. Parlons-en… Une mauvaise critique, c'est un coup de poing dans le ventre, ça te sort l'air du corps et tu peux pus respirer. T'es knock out, t'es bouleversé, t'es enragé, tu veux tout casser ou aller te cacher dans un coin où personne pourra jamais te retrouver parce que t'as l'impression d'être le dernier des trous de cul. Et viens pas me dire qu'après toutes ces années-là, tu comprends pas que je sois pas immunisé contre la critique, moi aussi j'ai entendu ça mille fois… Ça se peut pas qu'un artiste s'endurcisse devant la critique, c'est-tu clair ! Mais, et je te jure que c'est vrai, si c'est une critique respectueuse, si c'est une critique constructive, tu vas finir à la longue par… j'allais dire l'excepter, mais… oui, oui, l'accepter. Comprendre des arguments constructifs et respectueux, c'est très possible… à la longue. Pas sur le coup, ça fait trop mal, mais à la longue. Ça peut prendre du temps, mais tu peux y arriver. T'as sûrement deviné que ce que je n'accepte pas c'est le ton de certaines critiques, le ton, Christian, le ton persiffleur, le ricanement derrière les mots, enfin bref, les critiques condescendantes, comme celle-là, justement…

CHRISTIAN, *le coupant*. T'avais trouvé cette critique-là condescendante?

BENOIT. Christian! Si tu t'en rends pas compte, fais-toi soigner! Écoute… Ça me fait rien que vous me parliez d'égal à égal, que vous considériez que votre travail, dans un sens, est aussi important que le mien, que vous êtes des écrivains de droit. Vous écrivez, vous publiez, vous êtes des écrivains, j'ai rien à redire. Mais c'est quand vous nous jugez de haut, que vous nous donnez l'impression de nous faire l'honneur de vous pencher sur notre œuvre, quand votre critique étale sur trois ou quatre colonnes votre supériorité sur ce que vous critiquez que je me rebiffe et que je rue dans les brancards. Quand y m'arrive de mériter qu'on me descende, j'aimerais ça que ce soit fait avec un certain respect. Y me semble que ça, je le mérite. Tu l'avais quand même écrit en toutes lettres, Christian, que mon avenir était derrière moi, comment voulais-tu que je prenne ça…

CHRISTIAN. C'tait une façon de parler…

BENOIT. C'tait une façon de fesser sur quelqu'un qui était déjà à terre! Avant la création de cette pièce-là, j'avais dit et répété mon angoisse, ma peur de vieillir, ma peur d'avoir plus rien à dire un jour, ma terreur à l'idée qu'en vieillissant l'inspiration disparaisse… Ah, pis à quoi ça sert, à quoi ça sert de dire tout ça… Tu vas l'avoir oublié dans dix minutes et tu vas fesser à bout portant sur le prochain dramaturge qui va avoir le malheur de pas être assez moderne pour toi…

> N.B. Ça fait du bien!
> Mon Dieu que ça fait du bien!
> Mais est-ce du bon théâtre?

Est-ce que c'est jouable?
Trop mélo? Trop évident?
Juste la frustration d'un vieux qui sent
la fin de son talent venue?
Tant pis.
C'est écrit, ça va rester écrit.
Et s'il faut que je garde ça pour moi
parce que ce n'est pas jouable, tant pis.
Ça va rester là, tel quel,
et j'y reviendrai quand le doute,
le maudit doute me retombera dessus.
Pour le moment, je suis un écrivain de
théâtre qui ressent une grande joie.
Et un grand soulagement.
Le revers de la médaille maintenant.
Si la chose est possible.

CHRISTIAN. Comme tu me reproches d'être sur la défensive moi aussi, j'essaierai pas de me défendre.

BENOIT. J'sais vraiment pas ce que tu pourrais trouver.

CHRISTIAN. Mais permets-moi de te dire une chose. Je t'ai épargné dans ce papier-là.

BENOIT. Épargné?

CHRISTIAN. Oui. Et par respect, justement. Ta pièce était vraiment très mauvaise, Benoit. C'était peut-être ta première vraie mauvaise pièce, mais c'était très mauvais.

BENOIT. T'es pas obligé de le répéter trois fois dans la même phrase… C'était peut-être pas à la hauteur du reste…

CHRISTIAN. C'était à la hauteur de rien du tout. Qu'est-ce que tu voulais que je fasse?

BENOIT. Le mépris, Christian, c'est le mépris qui m'a tué.

CHRISTIAN. Le mépris était juste dans ta tête. Ça fait combien de temps que tu l'as pas relue, cette critique-là? L'as-tu seulement déjà relue? Tu serais pas plutôt resté sur ta première impression?

BENOIT. Tu viens de dire que tu voulais pas te défendre…

CHRISTIAN. C'est vrai, j'ai l'air de me justifier. Et c'est vrai aussi que j'ai envie de le faire. Mais… Va la relire, Benoit, donne-toi la peine d'y retourner, même si ça fait mal. Lis-la attentivement. Chuis convaincu que ça fera pas mal de la même façon. J'aurais pu être infiniment plus méchant, mais je me suis retenu… je le répète, par respect.

CLAIRE. Christian! Franchement! Tu t'es certainement pas retenu dans ce papier-là!

CHRISTIAN. Mêle-toi pas de ça, Claire. Ça te regarde pas.

CLAIRE. Ben sûr que ça me regarde…

BENOIT. J'ai pas besoin de toi pour me défendre. Et j'ai pas l'intention de me défendre non plus. D'la *bullshit*, j'en ai beaucoup entendu dans ma vie, et je sais la reconnaître à vingt milles à la ronde.

CHRISTIAN. Si t'aimes mieux penser que c'est de la *bullshit*… j'y peux rien.

BENOIT. Ben c'est comme ça. Comme tu vois, fin de non-recevoir. Jamais je croirai à ta bonne foi.

CHRISTIAN. J'veux juste ajouter une chose. T'as fait le bon choix. Quand t'as décidé de tout arrêter. Ça durera le temps que ça durera, ce silence-là, et je te souhaite, je *nous* souhaite que ce soit pas trop long, mais t'en avais besoin. Tes pièces étaient de moins en moins réussies et c'était la bonne chose à faire que de décider d'attendre que ça revienne... Surprends-nous, Benoit, jette-nous à terre, t'es encore capable! Quand tu seras prêt, prends ton élan...

BENOIT. Y me semblait que mon avenir était derrière moi...

CHRISTIAN. C't'à toi de changer ça. Prouve-moi que j'avais tort et je ferai amende honorable. En attendant, je rentre, y fait froid. Tu viens, Claire?

CLAIRE. Non, j'vas rester avec mon frère.

CHRISTIAN. Comme tu veux...

Il enlève sa veste, la dépose sur les épaules de Claire.

CHRISTIAN. J'vas t'attendre à l'intérieur. *(À Benoit :)* Pis malgré tout ce que tu peux penser, Claire, je l'aime.

Il se dirige vers la maison.
On entend le bruit d'un bouchon de champagne qui saute.

CHRISTIAN. On dirait un coup de fusil. Comme à la fin d'une pièce de Tchekhov.

Benjamin, un brin pompette, sort sur la galerie.

BENJAMIN. J'ai la réplique la plus niaiseuse à vous livrer : la dinde est cuite!

Il entre dans la maison en riant, suivi de Christian.

Long silence.
Claire et Benoit s'assoient à la table désormais inutile.

Claire cache son visage dans ses mains.

BENOIT. Tu pleures?

CLAIRE. Chuis plus vieille que toi, Benoit! Chuis plus vieille que toi!

NOIR.

N.B. Non, ça ne marche pas.
C'est trop court.
Il faut que je trouve autre chose.
Je vais y réfléchir.

Quelques heures plus tard:
je crois que j'ai trouvé.

Claire et Benoit s'assoient à la table désormais inutile.

CLAIRE. J'ai toujours eu besoin de certitude.

BENOIT. À qui le dis-tu…

CLAIRE. Toi, t'as passé ta vie dans l'inquiétude. Tu te souviens, maman te disait que t'aimais ça être inquiet, que c'est ce qui te motivait. La conviction que tu te trompais, que tu faisais jamais la bonne chose, les bons choix, même pour tes chums… T'avais peur de tout, t'as même eu une période hypocondriaque…

BENOIT. Quand le sida est arrivé, j'me levais trois fois par nuit pour vérifier si j'avais des taches rouges sur la plante des pieds… À l'époque, on nous disait que c'étaient les premiers symptômes.

CLAIRE. Moi, j'étais certaine de tout, de mon talent, de mon contrôle, et je fonçais. Ça a marché toute ma vie. J'étais sûre de ce que je faisais, tout me réussissait, j'entrais en scène comme une conquérante et j'en sortais victorieuse. J'ai joué trop jeune des rôles trop lourds et je m'en sortais.

BENOIT. T'as même joué trop vieille un rôle trop jeune pour toi. Comme notre mère.

CLAIRE. Et tout d'un coup… Peut-être quand j'ai compris que t'écrirais peut-être pus… J'ai sauté dans le vide tête la première, les yeux fermés… Chus partie à la recherche de quequ'chose d'autre… sans la certitude qui m'avait toujours guidée… peut-être, justement, pour retrouver cette certitude-là que j'avais pus… J'ai aimé passionnément ce que j'ai fait avec Arkadina… mais c'est vrai que c'était pas moi.

Claire se cache le visage dans les mains.

BENOIT. Tu pleures?

CLAIRE. Chuis plus vieille que toi, Benoit. Chuis plus vieille que toi. Qu'est-ce qu'on va devenir?

Benoit la serre dans ses bras.
Dans la maison, tout le monde entonne Le temps des cerises.

NOIR.

CINQUIÈME COUCHER DE SOLEIL

Un vrai coucher de soleil d'hiver. Froid. Blanc.

Je me suis emmitouflé dans deux chandails de laine, j'ai enfilé un pantalon long – le premier depuis des semaines –, j'ai pris mon courage à deux mains et je me suis dirigé vers la jetée de la rue Reynolds en mangeant une énorme orange.

Je suis arrivé encore plus fatigué que d'habitude. Voir mon cardiologue en rentrant à Montréal en mai. Dans quatre mois. Beaucoup de choses peuvent se produire d'ici là.

Le vent est fort, la houle haute, certaines vagues touchent le dessous des lattes de métal et la jetée est mouillée par endroits.

Je suis quand même resté assis sur mon banc à contempler l'horizon où rien ne se passait.

Un immense bateau de croisière a contourné la pointe de l'île et nous a caché le soleil pendant quelques minutes. Les passagers devaient être déçus. Ils n'ont pas dépensé tant d'argent pour voir un disque presque blanc sombrer dans une eau trop bleue pour être celle du golfe du Mexique. Ils veulent des couleurs à photographier, des nuages délirants, de l'eau teintée de sang. Pas ça. Une absence de coucher de soleil à la fin d'une journée trop froide pour les presque Caraïbes.

Une fois de plus je suis seul. Personne d'autre que moi ne s'est déplacé. Je me dis que c'est tout de même beau. Après les feux d'artifice des derniers jours, ce tableau plutôt pâlot, ce crépuscule raté, me calme. Un peu.

J'ai été agité toute la journée. À cause de la fin de ma pièce.

Le soleil disparu sans qu'on s'en aperçoive tant il se faisait discret, je me suis levé et me suis dirigé vers la rambarde au bout de la jetée. J'y ai appuyé les bras et le menton.

Les sternes sont là. La tête sous l'aile pour la plupart, rentrée dans les épaules pour les autres. Vont-elles passer toute la nuit là, chacune sur son chicot de métal, même si les vagues – sans doute froides – leur lèchent les pattes?

J'ai le cœur en bandoulière, ce soir, comme les ados qu'on croise dans le métro et qui portent sur leur dos un sac trop gros, de sorte qu'ils donnent l'impression de prendre la place de trois personnes. Trop lourd, mon cœur prend trop de place dans ma poitrine.

Je ne sais pas quoi penser de la fin de la pièce. La chute est-elle trop rapide? Le fait de ne pas laisser à Christian la chance de se défendre – un accroc à la règle que je me suis imposée depuis toujours – est-il une erreur? Mais je n'en avais pas envie. Sans doute parce que je n'aurais pas cru un seul mot de ce que je lui aurais fait dire. Parce que je n'ai ni la force ni le courage de me faire l'avocat du diable, de contredire tout ce que je pense de façon pertinente et efficace? Laisser tout ça de côté un temps et recommencer? Encore une fois? Fourrer tout ça au fond d'un tiroir et tracer un trait définitif sur ce projet qui me donne tant de mal depuis si longtemps? Essayer de l'oublier, de ne pas le considérer comme un échec même si c'en est un ? Ou, au contraire, ne pas abdiquer comme Benoit ? Mais combien de fois est-ce que j'aurai à refaire cette fin ? Et me satisfera-t-elle jamais ? Et *Cher Tchekhov* sera-t-elle jamais jouable ?

Tant travailler pour me rassurer et me retrouver – c'est le cas de le dire – le bec à l'eau.

Demain est un autre jour. Cent fois sur le métier… L'avenir appartient aux audacieux. Pierre qui roule… L'aventure commence à l'aurore… Shit de marde !

Ma Margarita sera double, ce soir, à moins qu'elles soient simples mais nombreuses.

Key West, décembre 2013 – 14 mars 2019

DU MÊME AUTEUR

ROMANS, RÉCITS ET CONTES

CONTES POUR BUVEURS ATTARDÉS, Éditions du Jour, 1966 ; BQ, 1996.
LA CITÉ DANS L'ŒUF, Éditions du Jour, 1969 ; BQ, 1997.
C'T'À TON TOUR, LAURA CADIEUX, Éditions du Jour, 1973 ; BQ, 1997.
LE CŒUR DÉCOUVERT, Leméac, 1986 ; Babel, 1995 ; Nomades, 2016.
LES VUES ANIMÉES, Leméac, 1990 ; Babel, 1999 ; Nomades, 2016.
DOUZE COUPS DE THÉÂTRE, Leméac, 1992 ; Babel, 1997 ; Nomades, 2016.
LE CŒUR ÉCLATÉ, Leméac, 1993 ; Babel, 1995 ; Nomades, 2016.
UN ANGE CORNU AVEC DES AILES DE TÔLE, Leméac / Actes Sud, 1994 ;
  Babel, 1996 ; Nomades, 2015.
LA NUIT DES PRINCES CHARMANTS, Leméac / Actes Sud, 1995 ; Babel, 2000 ;
  Babel J, 2006 ; Nomades, 2016.
QUARANTE-QUATRE MINUTES, QUARANTE-QUATRE SECONDES, Leméac /
  Actes Sud, 1997.
HOTEL BRISTOL, NEW YORK, NY, Leméac / Actes Sud, 1999.
L'HOMME QUI ENTENDAIT SIFFLER UNE BOUILLOIRE, Leméac / Actes
  Sud, 2001.
BONBONS ASSORTIS, Leméac / Actes Sud, 2002 ; Babel, 2010 ; Nomades,
  2015.
LE CAHIER NOIR, Leméac / Actes Sud, 2003.
LE CAHIER ROUGE, Leméac / Actes Sud, 2004.
LE CAHIER BLEU, Leméac / Actes Sud, 2005.
LE GAY SAVOIR, Leméac / Actes Sud, coll. « Thesaurus », 2005.
LE TROU DANS LE MUR, Leméac / Actes Sud, 2006.
CONVERSATIONS AVEC UN ENFANT CURIEUX, Leméac / Actes Sud, 2016.
LE PEINTRE D'AQUARELLES, Leméac / Actes Sud, 2017.
VINGT-TROIS SECRETS BIEN GARDÉS, Leméac/Actes Sud, 2018.

LA DIASPORA DES DESROSIERS

LA TRAVERSÉE DU CONTINENT, Leméac / Actes Sud, 2007 ; Babel 2014 ;
  Nomades, 2016.
LA TRAVERSÉE DE LA VILLE, Leméac / Actes Sud, 2008 ; Nomades, 2016.
LA TRAVERSÉE DES SENTIMENTS, Leméac / Actes Sud, 2009 ; Babel 2014.
LE PASSAGE OBLIGÉ, Leméac / Actes Sud, 2010.
LA GRANDE MÊLÉE, Leméac / Actes Sud, 2011.
AU HASARD LA CHANCE, Leméac / Actes Sud, 2012.
LES CLEFS DU PARADISE, Leméac / Actes Sud, 2013.
SURVIVRE! SURVIVRE!, Leméac / Actes Sud, 2014.
LA TRAVERSÉE DU MALHEUR, Leméac / Actes Sud, 2015.
LA DIASPORA DES DESROSIERS, Leméac / Actes Sud, coll. « Thesaurus », 2017.

CHRONIQUES DU PLATEAU-MONT-ROYAL

LA GROSSE FEMME D'À CÔTÉ EST ENCEINTE, Leméac, 1978 ; Babel, 1995 ;
  Nomades, 2015.
THÉRÈSE ET PIERRETTE À L'ÉCOLE DES SAINTS-ANGES, Leméac, 1980 ;
  Grasset, 1983 ; Babel, 1995 ; Nomades, 2016.
LA DUCHESSE ET LE ROTURIER, Leméac, 1982 ; Grasset, 1984 ; BQ, 1992.
DES NOUVELLES D'ÉDOUARD, Leméac, 1984 ; Babel, 1997 ; Nomades, 2016.
LE PREMIER QUARTIER DE LA LUNE, Leméac, 1989 ; Babel, 1999 ; Nomades,
  2015.
UN OBJET DE BEAUTÉ, Leméac / Actes Sud, 1997 ; Babel, 2011 ; Nomades,
  2016.
CHRONIQUES DU PLATEAU-MONT-ROYAL, Leméac / Actes Sud, coll.
  « Thesaurus », 2000, 2019.

OUVRAGE RÉALISÉ PAR
LUC JACQUES, TYPOGRAPHE
ACHEVÉ D'IMPRIMER
EN OCTOBRE 2019
SUR LES PRESSES
DE MARQUIS IMPRIMEUR
POUR LE COMPTE DE
LEMÉAC ÉDITEUR, MONTRÉAL

DÉPÔT LÉGAL
1ʳᵉ ÉDITION : 4ᵉ TRIMESTRE 2019
(ÉD. 01 / IMP. 01)